# Primeiro, o corpo

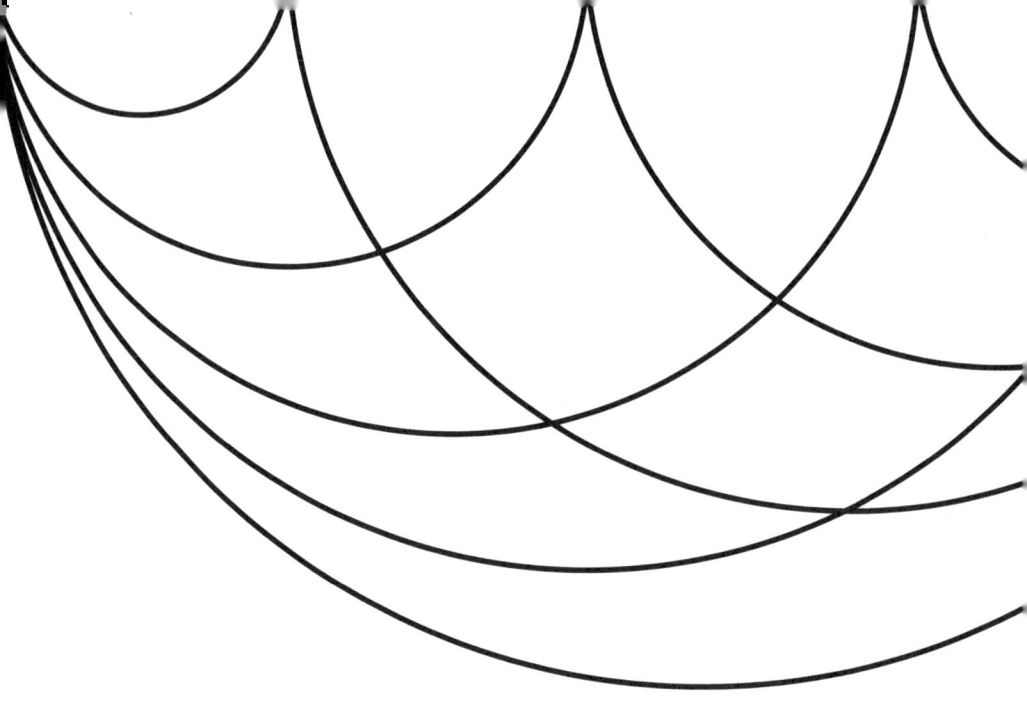

Tradução **Vanise Dresch**

# Primeiro, o corpo

Corpo biológico,
corpo erótico
e senso moral

Christophe Dejours  Porto Alegre · São Paulo · 2019

Copyright © 2003 Éditions Payot & Rivages
Título original: Le corps, d'abord

CONSELHO EDITORIAL Gustavo Faraon e Rodrigo Rosp
CAPA E PROJETO GRÁFICO Luísa Zardo
REVISÃO TÉCNICA Luciane Falcão e Renato Moraes Lucas
REVISÃO Fernanda Lisbôa
FOTO DO AUTOR Arquivo pessoal

Dados Internacionais de Catalogação na Publicação (CIP)

D327p    Dejours, Christophe
         Primeiro, o corpo: corpo biológico, corpo erótico e senso
         moral / Christophe Dejours ; trad. Vanise Dresch. — Porto
         Alegre : Dublinense, 2019.
         192 p. ; 23 cm.

         ISBN: 978-85-8318-121-7

         1. Psicologia. 2. Psicanálise. 3. Psiquitria biológica.
         4. Psicofisiologia. I. Dresch, Vanise. II. Título.

CDD 150.195

Catalogação na fonte: Ginamara de Oliveira Lima (CRB 10/1204)

Todos os direitos desta edição reservados à Editora Dublinense Ltda.

**EDITORIAL**
Av. Augusto Meyer, 163 sala 605
Auxiliadora — Porto Alegre — RS
contato@dublinense.com.br

**COMERCIAL**
(11) 4329-2676
(51) 3024-0787
comercial@dublinense.com.br

| | |
|---|---|
| 7 | Apresentação da edição brasileira |
| 11 | Introdução |
| 17 | **Capítulo I**<br>A subversão libidinal |
| 25 | **Capítulo II**<br>A "escolha do órgão" na psicossomática |
| 43 | **Capítulo III**<br>O sonho |
| 77 | **Capítulo IV**<br>A terceira tópica |
| 115 | **Capítulo V**<br>A pulsão de morte |
| 135 | **Capítulo VI**<br>Psicanálise, psicoterapia e psiquiatria |
| 141 | Conclusão |
| 183 | Referências |

# Apresentação da edição brasileira

É com grande satisfação que apresentamos a tradução para o português do livro *Primeiro, o corpo*, de Christophe Dejours. Esse volume dá seguimento à Coleção da Sociedade Psicanalítica de Porto Alegre, constituída de traduções de importantes obras psicanalíticas, que pelas adversidades nacionais e internacionais no campo editorial têm tido dificuldades e significativos atrasos para chegar ao público brasileiro.

É um momento de celebração também da nova parceria da SPPA com a editora Dublinense, para esta coleção, a quem queremos de imediato agradecer à receptividade, o profissionalismo, à disponibilidade, o cuidado e à qualidade da edição. Pensamos que é uma "parceria" na acepção própria da palavra.

Christophe Dejours é um reconhecido psicanalista francês. É professor titular da disciplina Psicanálise-Saúde-Trabalho e diretor de pesquisa na Universidade René Descartes Paris V, no laboratório de Psicologia Clínica, Psicopatológica e Psicanalítica. Professor no Conservatoire National des Arts et Métiers (CNAM), onde dirige a equipe de pesquisa *Psicodinâmica do trabalho e da ação*. É também membro titular e atual vice-presidente da Associação Psicanalítica da França (APF), Presidente do Conselho Científico da Fondation Jean Laplanche — Institut de France — e membro titular do Institut de Psychosomatique-Pierre Marty. Dejours é considerado o "pai da psicanálise do trabalho" (a disciplina que estuda as relações psíquicas do homem com seu trabalho, as realizações e o sofrimento nelas envolvidas e as estratégias de defesa para lidar com as diversas aflições, com suas repercussões no corpo e no estabelecimento da identidade individual). O autor tem um considerável número de contribuições publicadas sobre esse tema, muitas das quais traduzidas para o português na forma de artigos e livros. É autor também de diversas contribuições originais no estudo da psicossomática, do mesmo modo, com traduções para o português.

Na confluência destas duas amplas áreas de estudo está o corpo. Sua primeira publicação sobre o assunto data de 1986 (*O corpo, entre a biologia e a psicanálise*), quando delimita cuidadosamente a diferença entre o corpo biológico e o corpo erótico, este último resultado do trabalho de representação do corpo biológico no psiquismo, com seu investimento, suas falhas de representação e sua psicopatologia. O presente volume é uma ampla expansão destes tópicos, com a introdução de compreensões e conceitos inovadores, com grande coerência e particular profundidade metapsicológica.

Dejours parte da "subversão libidinal" (subversão libidinal das funções biológicas em proveito da economia erótica), resultado do trabalho de criação do corpo erótico a partir do corpo biológico, que ocorre em função da interação entre o corpo do bebê e a ação (comprometida pelo inconsciente) de seus cuidadores. Dessa influência mútua, porém dissimétrica, surge tanto a "ordem erótica" (origem da subjetividade, o fundamento da experiência subjetiva e o lugar eletivo onde se vivencia a subjetividade em si), quanto as falhas da erotização, suas descompensações (os diferentes níveis de psicopatologia, do psicossomático ao psicopata, passando pelo psicótico e pelo paranoico). O autor se dedica a descrever minuciosamente cada uma destas patologias frente à dinâmica da erotização. Iniciando pela psicossomática, propõe uma teoria alternativa à "escolha de órgão", chegando à "escolha da função", como a origem individual da orientação de um "alvo orgânico" resultante da "descompensação somática".

Sublinha que "este livro explicita o processo mediante o qual o corpo erótico se descola progressivamente do corpo biológico". Nesse caminho, dá um lugar fundamental ao trabalho do sonho na construção do corpo erótico, revisando conceitos freudianos e propondo novas leituras à relação do sonho com a "sexualidade psíquica".

A partir da compreensão desta complexa trama de subjetivação e não subjetivação, surge a necessidade de redefinir conceitos e estruturas clássicas. Introduz, então, sua concepção de uma "terceira tópica" baseada na clivagem e na existência de um novo espaço inconsciente, o "inconsciente amencial", termo derivado da "amência" de Meynert, que alude ao que ainda não é mental (a-mencial). *"Por falta de pensamento em sua base, ele não poderia gerar retornos do recalcado nem qualquer pensamento novo. O principal modo de reação desse inconsciente amencial seria a desorganização do eu ou o desligamento crítico e o agir compulsivo sem pensamento"*.

Dejours dedica-se cuidadosamente a descrever a circulação dos elementos psíquicos e não psíquicos dentro da nova tópica e a ontogênese da estrutura psíquica neste novo modelo. Dá especial destaque ao papel da clivagem como mantenedora da estrutura, os recursos da ligação entre elementos psíquicos para mantê-la e as importantes consequências de seu desmantelamento.

Jean Laplanche baseou-se nesses conceitos de Christophe Dejours para desenvolver sua própria "terceira tópica", com o "inconsciente encravado" e sua própria concepção da clivagem, formulações que, ao longo desta obra, são cotejadas, contrapostas ou desenvolvidas.

Em suas ricas conclusões, Dejours ressalta, dentre vários outros temas, o papel dos obstáculos que dificultam a formação do corpo erógeno na constituição de uma vulnerabilidade somática e suas manifestações, seja através de sintomas psicopatológicos, seja por arranjos defensivos que reduzem a sensibilidade ao sofrimento (tanto ao próprio sofrimento quanto ao sofrimento alheio), citando como exemplo o caso dos psicopatas. Pergunta-se, então, se essa alienação ao sofrimento poderia estar na base de uma concepção psicanalítica de "senso moral", parte do subtítulo desta obra.

Trata-se, portanto, de obra inovadora, expondo uma metapsicologia expandida, de alta complexidade e inestimável utilidade clínica. Leitura essencial para a compreensão contemporânea da constituição da subjetividade, suas relações com o corpo, da psicopatologia e da interação com o outro humano.

Queremos finalizar essa apresentação agradecendo a excelente tradução de nossa colaboradora de já longa data, Vanise Dresch, e da cuidadosa revisão da tradução coordenada por nossa colega Luciane Falcão.

Desejamos a todos uma proveitosa leitura!

*José Carlos Calich*
EDITOR DA COLEÇÃO DA SOCIEDADE PSICANALÍTICA
DE PORTO ALEGRE

*Kátia Wagner Radke*
COEDITORA DA COLEÇÃO DA SOCIEDADE PSICANALÍTICA
DE PORTO ALEGRE

# Introdução

Há quinze anos, em 1986, publiquei *Le corps entre biologie et psychanalyse*[1]. Esse livro, hoje esgotado, dividia-se em duas partes. A primeira parte se intitulava "Biologia e psicanálise: o ônus fisiológico", e a segunda, "O corpo somático e o corpo erótico: a subversão libidinal". Na primeira parte, fiz uma análise comparativa das leituras biológica e psicanalítica de três questões-chave: a angústia, a memória e o sonho. Observou-se que, em muitos aspectos, podiam ser encontradas convergências consistentes entre as duas abordagens. Por exemplo, acerca da angústia, podemos extrair das pesquisas biológicas contemporâneas, destacadamente no campo da neuroquímica e da psicofarmacologia, descrições rigorosas de transtornos funcionais do sistema nervoso central que correspondem exatamente ao que se caracteriza, na clínica fenomenológica e psicanalítica, como angústia psicótica. Em compensação, surgem, em certos casos, contradições entre as duas abordagens, como, por exemplo, a respeito da memória. Ao fazer uma síntese dos resultados da interpretação comparada, cheguei à conclusão de que em relação a

---

1 C. Dejours. *O corpo. Entre biologia e psicanálise*, Editora Artes Médicas, 1988, 184 p.

essas três questões-chave, ao contrário das minhas expectativas, *não havia argumento decisivo em favor de um paralelismo biopsicológico*. As combinações entre a vivência subjetiva e os estados instantâneos do corpo biológico certamente não são aleatórias, mas também não são regulares nem reprodutíveis.

A análise comparada das descrições biológica e psicanalítica do corpo (ou do soma) levava a uma segunda conclusão. Mesmo quando se concentra a comparação num problema delimitado, como a memória ou o sonho, constata-se que os próprios termos memória e sonho nas duas abordagens não remetem às mesmas definições nem a problemáticas semelhantes, tampouco a preocupações científicas idênticas. Por exemplo, no que se refere à memória, a biologia se preocupa essencialmente com a recepção, o armazenamento, a estabilização, a recuperação e a evocação das informações. Preocupa-se muito também com a questão da aprendizagem. Ninguém contestará que essas questões pertencem de fato ao campo da memória. Mas a psicanálise não aborda da mesma maneira as questões relativas à memória. Ela se interessa, acima de tudo, pelo esquecimento, pela amnésia, pela deformação das lembranças ou pelos traços persistentes de experiências vividas que têm efeitos consideráveis na vida atual, embora esses traços não sejam conscientes nem mobilizáveis pela consciência voluntária, isto é, são memorizados e esquecidos.

Em outras palavras, a psicanálise delimita um campo de investigação específico diferente daquele da biologia: o dos transtornos funcionais da memória. Mas é preciso dizer que esses transtornos não são considerados *a priori* como deficitários, e sim uma das principais formas de concretização do funcionamento psíquico e da subjetividade. O biólogo, ao contrário, interessa-se pelos transtornos da memória, concebendo-os em sua dimensão instrumental e não em seu significado subjetivo.

Da mesma forma, no caso do sonho, a análise comparada entre a biologia e a psicanálise mostra claramente que o biólogo orienta suas investigações para o sono e seus transtornos, quando o psicanalista, por sua vez, só se interessa por isso excepcionalmente (por exemplo, quando o bebê apresenta transtornos do sono). Já Freud se interessa pelo sonho, não pelo sono. O biólogo faz hipnologia, o psicanalista interpreta o material onírico. Do ponto de vista do fenômeno, portanto, *as noções de angústia, memória e sonho não remetem aos mesmos objetos de investigação na biologia e na psicanálise.*

A terceira conclusão dessa análise comparativa foi o fato de que o corpo estudado pela biologia e o corpo estudado pela psicanálise não são os mesmos. As deduções feitas a partir dessa constatação devem, contudo, ser muito prudentes. Não parece possível ver nisso, de fato, apenas uma diferença de conceituação ou de leitura. O somatório dos conhecimentos biológicos leva a uma descrição do corpo que corresponde, sem dúvida, a um estado de coisas no mundo objetivo. Significaria dizer, então, que as investigações psicanalíticas levariam a uma descrição fictícia do corpo, não somente devido ao método utilizado (que não é da ordem do experimento científico), mas também porque essa descrição seria incompatível com os fatos devidamente estabelecidos pela biologia? Se essa fosse a conclusão, o caso seria simples; bastaria remeter a leitura psicanalítica do corpo às concepções obscurantistas. Tal conclusão não daria conta dos conhecimentos que a psicanálise fornece sobre o corpo, justamente em terrenos em que a biologia se cala: o sonho, a fantasia, o desejo, o sofrimento, o prazer, o amor e, de forma mais ampla, os afetos passam pelo corpo e o mobilizam incontestavelmente.

Não se pode negar que o somatório dos conhecimentos obtidos pela psicanálise leva, também, à descrição de um corpo, mas o surpreendente é que, sem dúvida, esse corpo é diferente do corpo fisiológico. Em outras palavras, precisamos admitir que *vivemos simultaneamente em dois corpos: respectivamente, o corpo biológico e o corpo "erótico".*

Com a primeira conclusão de que não há paralelismo entre esses dois corpos, surge o problema das relações entre eles, a começar por aquelas relações que determinam a formação do segundo corpo. A menos que se assumam riscos ontológicos e epistemológicos consideráveis, é preciso admitir que o segundo corpo só pode se formar a partir do primeiro. Esse problema foi especificamente estudado, em 1986, na segunda parte do meu livro. Da primeira parte, mantive aqui apenas o capítulo dedicado ao sonho, por ser indispensável à compreensão da subversão libidinal, da qual ele é um dos principais encarregados.

A segunda parte do livro, dedicada ao exame dos impactos desse percurso entre biologia e psicanálise na teoria psicanalítica do funcionamento psíquico, foi mantida e remanejada. Formulou-se a conclusão de que, entre a biologia e a subjetividade, não é possível estabelecer uma continuidade nem uma verdadeira articulação. Ao contrário, deve-se reconhecer primeiramente uma ruptura. Existem, no entanto, ligações entre as funções fisiológicas e a economia pulsional, mas sua forma jamais seria definitiva. Tais ligações teriam de ser reconstruídas e confirmadas por cada indivíduo durante toda a vida. Os dois corpos — o corpo biológico e o corpo erótico — não seriam apenas conceitos, mas corresponderiam perfeitamente a duas realidades distintas. Essa distinção, por sua vez, não é um dado natural determinado desde o nascimento. Entre os dois corpos haveria uma relação de engendramento. O corpo erótico pertenceria ao adquirido e se construiria progressivamente a partir do corpo biológico, que, ao contrário, provém do inato. Este livro explicita o processo mediante o qual o corpo erótico se descola progressivamente do corpo biológico. Propus chamar esse processo de "subversão libidinal" (subversão libidinal das funções biológicas em proveito da economia erótica). Da qualidade e da progressão desse processo dependeria o surgimento do corpo erógeno, que, em nossa perspectiva, é também a origem da subjetividade, o fundamento da experiência subjetiva e o lugar eletivo onde se vivencia a subjetividade em si.

Se a subversão libidinal está atrelada à qualidade do encontro entre o corpo da criança e o inconsciente do adulto, o processo de apropriação dessa experiência e sua sedimentação no corpo erógeno seriam sustentados pelo trabalho do sonho. O sonho revela ser, então, não só a demonstração das relações entre exigência biológica e emancipação erótica, mas também o arquiteto de uma obra. Esta levaria a uma forma — o corpo erógeno — cujos contornos seriam específicos de cada sujeito. O corpo, tanto em sua capacidade de se mobilizar quanto em sua capacidade de vivenciar o contato com o outro, bem como naquilo que limita seu uso e sua sensibilidade, refletiria fielmente a história das relações entre a criança e o adulto. Assim, a arquitetura do corpo erógeno seria uma das formas pelas quais a infância é memorizada no adulto.

Seria apenas uma das formas, pois essa história também se replica em outro nível descritivo, mais abstrato e menos clínico que o corpo: no nível tópico, ou seja, aquele da arquitetura do aparelho psíquico e da formação dos sistemas inconsciente, pré-consciente e consciente.

O percurso entre biologia e psicanálise leva ao reconhecimento de um lugar específico para aquilo que é da ordem do inato e das disposições instintuais, alcançando o nível da organização do inconsciente. As disposições instintuais constituem o substrato a partir do qual se desenvolve todo o processo de subversão libidinal. Esta extrai, de certa forma, do patrimônio dos comportamentos inatos, o material para construir o corpo erógeno. Ao fazê-lo, ela modifica o próprio patrimônio instintual. Corrompe as origens animais do homem. Alguns autores chegam à conclusão de que as modificações sofridas pela esfera instintual são tão significativas no ser humano que a referência aos instintos não é pertinente à antropologia. O ser humano seria totalmente desnaturalizado. O ponto de vista desenvolvido neste livro é diferente. A subversão libidinal é um processo cuja resolução é incerta. Ela nem sempre pode ser levada a seu termo possível; isso depende não só do intelecto da criança, como também da maneira pela qual o adulto trata o corpo dessa criança. O que é feito, então, do resto instintual? Sob quais formas ele sobrevive no funcionamento corporal, nas relações entre os dois corpos e na psicopatologia? Diferentes arranjos são possíveis, mas os impasses da subversão libidinal se traduzem numa vulnerabilidade psíquica na totalidade dos casos. Para compensar essa vulnerabilidade, estabelece-se frequentemente um compromisso mais ou menos estável por intermédio de um procedimento específico denominado *clivagem*. Mas a clivagem descrita por Freud sob a denominação de "clivagem do eu" parece estender-se bem além do eu, alcançando até mesmo o inconsciente. Retomar essas conclusões no plano da descrição tópica do aparelho psíquico leva a uma formulação que, em 1986, designei pelo nome de "terceira tópica" ou "tópica da clivagem".

O capítulo sobre a análise comparada do sonho segundo a biologia e a psicanálise, bem como a apresentação da terceira tópica, é retomado aqui numa versão remanejada. Respondendo, em certa medida, às críticas enunciadas por François Dagognet no prefácio do meu livro, acrescentei um capítulo: o capítulo II. Trata-se de pôr à prova as hipóteses formuladas acerca do corpo erógeno no caso de uma paciente que iniciou uma psicanálise depois de um câncer.

A hipótese da terceira tópica foi discutida por psicanalistas em várias escolas na França e no exterior, bem como em algumas universidades que ensinam a psicossomática. Os debates que prosseguem ainda hoje sobre as relações entre o inconsciente e as doenças do corpo permitiram conceber a publicação do presente livro. Porém, é preciso considerar hoje o que os debates realizados durante quinze anos trouxeram para essa concepção de uma tópica da clivagem. Por isso, um novo capítulo conclusivo explica o conteúdo e as razões das reformulações propostas aqui.

# CAPÍTULO I
# A subversão libidinal

É a partir das *desordens* graves da vida erótica que se pode propor uma reconstrução teórica da *ordem erótica*. A organização do corpo erótico passa por uma operação que Freud descreve, em *Três ensaios sobre a teoria da sexualidade,* sob a denominação de *apoio da pulsão* sobre a função fisiológica. Essa operação, fundadora da sexualidade psíquica, consiste em um processo sutil: a criança se esforça para mostrar aos pais que a boca, por exemplo, não lhe serve unicamente como órgão destinado a exercer a função de nutrição. A boca lhe serve também para sugar, beijar, morder e servirá mais tarde para os jogos da vida sexual. O sujeito afirma assim certa independência em relação ao uso de seu órgão — a boca — quanto à sua finalidade primordial. Ele afirma que a boca não se destina unicamente a saciar a fome, mas, também, às vezes, ao prazer. Ele tenta mostrar que não é escravo de seus instintos nem de suas necessidades, que não é somente um organismo animal, mas quer se tornar também sujeito de seu próprio desejo. Pode ir, até mesmo, muito além nesse sentido e afirmar que a boca lhe serve tão somente para o prazer, tornando-se então anorético para caricaturar sua liberdade em relação ao registro da necessidade. Por desprezar tanto o ônus biológico, ele corre o risco de morrer.

Vemos que o apoio funciona como uma subversão. A boca, ao servir de pivô para a subversão, pode ser reconhecida como zona erógena. Sem dúvida, é reivindicado aqui um órgão e não uma *função*. Deve-se entender, contudo, que, para se libertar mais ou menos da ditadura de uma função fisiológica, o órgão é um intermediário necessário: a *subversão da função pela pulsão passa pelo órgão*.

Freud descreveu as fases da edificação sexual. Sucessivamente, diferentes partes do corpo servirão de zonas erógenas (a bem dizer, são essencialmente as partes do corpo que delimitam o interior do exterior: órgãos dos sentidos, esfíncteres, pele e, em grau bem menor, vísceras internas). Essas zonas serão progressivamente extraídas de seus comandos naturais e primordiais, que são as funções fisiológicas, para serem subvertidas aos poucos em benefício da construção do que se denomina o *corpo erótico*. Graças a essa edificação da sexualidade psíquica e do corpo erótico, o sujeito consegue se liberar parcialmente de suas funções fisiológicas, de seus instintos, de seus comportamentos automáticos e reflexos e até mesmo de seus ritmos biológicos. É assim que a sexualidade humana consegue driblar, em certa medida, os ritmos endocrinometabólicos. Na mulher, por exemplo, a sexualidade não segue mais o ciclo menstrual nem termina na menopausa. Graças ao apoio, o registro do desejo instaura sua primazia sobre o da necessidade, a pulsão se aparta parcialmente do instinto.

De acordo com François Dagognet:

> Chegaremos ao ponto de considerar o sujeito uma miragem? De jeito nenhum. Mas nasce com o homem um corpo até então desconhecido, porque os movimentos reais e violentos, perigosos também, são substituídos pelo esboço dos possíveis. A evolução dos gestos instintuais, a moderação da impulsividade ávida acaba abrindo caminho para a virtualidade que, por sua vez, gera

a onda da subjetividade. Correlativamente, as necessidades punitivas cedem lugar para os jogos mais elaborados e parcialmente interiorizados do desejo[1].

Convém assinalar também que a colonização subversiva do corpo fisiológico pelo corpo erótico tem sempre um caráter inacabado e que, além das falhas inevitáveis que podem sobrevir ao longo do desenvolvimento, o corpo erótico sempre precisa ser reconquistado. Salvo casos excepcionais, a sexualidade psíquica e a economia erótica sofrem seguidamente a ameaça de "perder o apoio" e de engendrar um movimento contraevolutivo, cujas consequências veremos mais adiante.

A construção do corpo erótico é possivelmente uma potencialidade inscrita no patrimônio genético humano. Entre essa potencialidade e sua realização, existe uma distância que só pode ser vencida *graças às relações* que a criança estabelece com seus pais. O desenvolvimento do corpo erótico é o resultado de um diálogo em torno do corpo e de suas funções que se apoia nos cuidados corporais dispensados pelos pais e cujas etapas principais se situam entre os três e cinco primeiros anos de vida. Esse diálogo envolve, portanto, os parceiros. Isso quer dizer que o funcionamento psíquico da mãe, suas fantasias, sua própria sexualidade, sua história, sua neurose infantil marcam de forma muito peculiar o diálogo que se estabelece com a criança, de tal maneira que até mesmo em sua carne imprimem-se as marcas do inconsciente materno. (Simplificando ao máximo, cito apenas a mãe, mas o pai e as relações eróticas entre os pais, isto é, a alternância entre duas posições psíquicas — a da mãe da criança e a da amante do pai — desempenham um papel fundamental na construção psíquica da criança. Remete-se aqui à descrição da "censura da amante", proposta por Denise Braunschweig e Michel Fain em 1975.)

1 F. Dagognet. *Faces, surfaces et interfaces.* Paris, Vrin, 1982, p. 91.

É fundamental entender essa dimensão do diálogo fantasmático, pois ela supõe que a economia erótica não pode ser analisada numa concepção solipsista. Assim, os encontros, as rupturas, os lutos afetam a economia erótica do sujeito durante toda a sua vida.

Indaga-se se a subversão erótica do corpo fisiológico gera consequências nas próprias funções fisiológicas. A clínica psicossomática sugere, de fato, que, na ocorrência de determinados transtornos do funcionamento psíquico que alteram a economia do corpo erótico, surge ao mesmo tempo um risco de doença somática. A pulsão deixa de se apoiar na função e, com isso, parece capaz de facilitar uma somatização. A partir dessas constatações clínicas, pode-se considerar a hipótese de que, por um lado, se a subversão libidinal não confere uma solidez suplementar propriamente dita ao funcionamento fisiológico, por outro lado, a perda do apoio parece relativamente perigosa para a saúde do corpo.

Como explicar esse fenômeno insólito? A resposta é primeiramente de ordem *econômica*. A subversão libidinal agiria de forma a desviar, a deslocar uma parte da energia inerente aos programas comportamentais inatos para utilizá-la para fins eróticos. Ao fazê-lo, ela aliviaria de certa forma a economia somática da carga de seus movimentos energéticos que eram marcados originariamente pelos ritmos cronobiológicos.

## Ordem fisiológica e ordem erótica: um caso de moinho?

Para ilustrar o impacto do apoio subversivo na saúde do corpo, farei uma comparação com o trabalho de um moinho d'água. Uma parte da energia cinética da água que corre por um rio (que representa aqui o fluxo instintual) é deslocada pelas pás do moinho. O movimento da roda produz um trabalho que pode servir para fabricar óleo a partir das nozes ou das olivas, ou então farinha a partir do trigo. O resultado desse trabalho representaria a vida erótica, enquanto o moinho representaria o aparelho psíquico. O apoio é representado nessa metáfora pela roda que gira, desloca a energia e a converte. Encontra-se aqui uma tese central da psicanálise, segundo a qual a fonte única da energia está nos instintos, qualificados como instintos de conservação na primeira teoria das pulsões e como instintos de morte na segunda teoria de Freud. A energia libidinal (pulsão sexual) é extraída dos instintos de conservação. Apesar da construção do moinho, o rio permanece um rio. Em outras palavras, o corpo instintual, o corpo das grandes funções fisiológicas, vitais, de conservação, segue o mesmo habitado, embora sofra certas modificações. Apenas cedeu parte de sua energia.

Pode-se facilmente imaginar o impacto desse deslocamento de energia sobre o destino do rio, tornando-o capaz de aliviar seu leito, seus diques e a ecologia do território a jusante (representando nessa metáfora o corpo fisiológico) em período de cheia. No outro extremo, a inércia da roda d'água estabiliza em certa medida os efeitos das variações de volume (movimentos de cheia e de baixa de nível) no aparelho psíquico e na economia erótica, a qual se libera parcialmente dos ritmos biológicos.

Essa metáfora do moinho transformador, deslocador, conversor de energia em benefício da vida mental permite introduzir a hipótese de que o bom funcionamento do apoio e do aparelho psíquico, bem como o sucesso da conversão libidinal, seriam capazes de moderar a economia do corpo fisiológico, oferecendo-lhe um desaguadouro psíquico.

Isso quer dizer que, nas relações entre o funcionamento mental e o funcionamento biológico, *o corpo inteiro* está envolvido, não *somente o cérebro*. O problema das relações entre corpo e mente não se limitaria, pois, àquele da relação entre pensamento e cérebro, como tantas vezes se afirmou, ainda mais insistentemente com o avanço recente da psiquiatria dita biológica.

Para facilitar o entendimento do que é um processo de somatização, pode-se partir da metáfora do moinho e aprofundá-la: o moinho representa o aparelho psíquico; a paisagem rural que circunda o rio representa o corpo; o leito do rio, os canais de irrigação alimentados por ele; seus braços e suas bifurcações são o sistema nervoso central; a corrente fluvial e a energia da água representam a excitação que circula no sistema nervoso central e é levada até os órgãos. Não só uma parte da energia mecânica do rio é derivada, convertida para produzir eletricidade, como também se transformam a jusante as condições ecológicas, a agricultura, a economia rural e até mesmo a geografia física. Isso significa que, de alguma forma, um processo essencialmente *funcional* no início — o apoio subversivo — tem consequências que se *materializam*. A própria geografia física se transforma. A *subversão libidinal* leva, com o tempo, a modificações *anatômicas*. O psíquico consegue, por intermédio do apoio, cristalizar-se, organicizar-se, anatomizar-se.

Suponhamos agora que suceda uma crise na vida amorosa, como, por exemplo, uma infidelidade do objeto de amor, levando a um rompimento sentimental. Voltando à nossa metáfora, o parceiro do administrador da barragem é representado pelo cliente que compra a eletricidade gerada. Eis que este prefere comprar energia de uma central nuclear àquela gerada pela barragem, por ela custar mais barato.

Não tendo mais serventia, a barragem é desativada e sucateia-se. O rio retoma seu curso anterior. Cheias e baixas do nível d'água não são mais controladas. Os ritmos instintuais voltam a dominar. Rio abaixo, há o risco de catástrofes, pois a nova economia agrícola não pode mais adaptar-se a um rio que voltou ao estado selvagem. Os danos, às vezes, são severos: o corpo torna-se vítima de um processo de somatização.

Nessa perspectiva, as doenças somáticas se revelariam não mais como o resultado exclusivo de *anomalias fisiopatológicas*, mas eventualmente como o resultado de processos *psicopatológicos* centrados na desorganização da economia erótica.

CAPÍTULO II

# A "escolha do órgão" na psicossomática[1]

1   Este capítulo foi escrito a partir de um artigo intitulado "Le choix de l'organe" e publicado em 1997 na *Revue de psychologie clinique et projective*, nº 3, p. 3-18.

Por "escolha do órgão" designa-se comumente, em psicossomática, a hipótese de que a descompensação somática não afeta o organismo às cegas, mas orienta-se para um alvo "escolhido" (em função de moções inconscientes).

Levantar essa questão pode parecer absurdo, até mesmo insolente. A questão é certamente absurda aos olhos dos médicos e dos fisiopatologistas. Para os últimos, o ponto de impacto das doenças somáticas tem causas externas ao sujeito, isto é, alheias ao seu desejo, às suas intenções, à sua vontade ou à sua responsabilidade. Até em casos extremos, como nas doenças associadas a condutas toxicomaníacas, a subjetividade não conta: por exemplo, mesmo que a vontade, o desejo, a consciência, a intenção estejam envolvidos na conduta de alcoolização, o caminho fisiopatológico que conduz ao fígado e à cirrose ou à circulação e às varizes esofágicas é totalmente independente da intenção do sujeito.

Insolente é a questão da escolha do órgão também aos olhos da maior parte dos psicossomatistas, que recusam nesse campo qualquer incursão da "causalidade psíquica", cuja imputação só é possível à custa da descompensação. Na perspectiva psicossomática, a descompensação indicaria a falência das possibilidades representativas e simbólicas, o transbordamento das capacidades de ligação e elaboração, a dificuldade, em outras palavras, da "mentalização da excitação"[1]. Assim, a descompensação, isto é, a *crise* psicopatológica pode corresponder a um determinismo psíquico, e a forma somática da sintomatologia, em vez de delirante ou neuropática, pode provir também de determinações psíquicas; em compensação, o caminho que a doença toma no corpo é psiquicamente indiferente e resulta apenas de determinações biológicas objetivas. Nessa concepção, portanto, não há escolha de órgão ou — o que é a mesma coisa — o sintoma somático e sua localização não têm sentido: "o sintoma somático é tolo", diz Michel de M'Uzan[2].

Somente alguns analistas pertencentes ao último batalhão dos veteranos do efeito *y'au de poêle*[3] ainda defendem uma causalidade psíquica guiada pelas concatenações de significantes. Por exemplo, ao sair de uma sessão de análise, uma paciente é vítima da migração de um cálculo que vem obstruir o ducto colédoco: porque o ponto culminante de suas associações dizia respeito a uma decisão desastrada, causa de muitos dissabores, a cólica hepática estaria ligada ao "cálculo errado" mencionado pela paciente. Ou então uma hérnia de disco na lombar, necessitando de uma intervenção cirúrgica de descompressão, estaria relacionada com a irritação do paciente que, dizendo estar farto do patrão, remeteria à expres-

---

1   P. Marty. *La mentalisation*, Paris, Les Empêcheurs de Penser en Rond, 1994.
2   P. Marty, M. de M'Uzan, C. David. *L'investigation psychosomatique*, Paris, PUF, 1963.
3   F. George. *L'effet y'au de poêle*, Paris, Hachette, 1979. N.T.: Trocadilho intraduzível que joga com a rima e os sons das palavras em francês e que foi tomado emprestado, com uma pequena deformação, a um personagem das *Aventuras de Tintin* (*Comment vas-tu yau de pipe?*). É empregado no título do livro de François Georges *L'effet y'au de poêle de Lacan et des lacaniens* (Hachette, 1979). Nesse livro, o autor faz uma descrição humorística de um seminário de Lacan típico da década de 1970. Ele apresenta o grupo que se dedicava a analisar os Escritos de Lacan como uma verdadeira seita com uma linguagem esotérica. Os "discípulos" participavam de uma espécie de "ritual" em torno da palavra do mestre, numa comunicação baseada em palavras-chave, senhas e sinais de reconhecimento, fazendo com que o obscuro fosse tomado por espessura de pensamento.

são *plein le dos* [costas cheias]. Podemos nos perguntar onde se alojaria a somatização se o paciente tivesse pensado *plein les bottes* [botas cheias]: na sola ou no calcanhar da bota? Porém, para a maioria dos autores, mesmo para aqueles que reivindicam Lacan, o déficit de sentido do sintoma somático é admitido: pensamento operatório[4], espessamento do significante[5].

Vale lembrar que essa conclusão sucede a um longo debate apaixonado, apaixonante também, sobre as relações entre conversão histérica e sintoma somático[6].

## Elementos de uma teoria da escolha do "órgão"

Não seria mais possível, então, manter apenas entreaberta a possibilidade de um debate? Apesar desse contexto teórico, gostaria de retomar essa questão, mas não sem tomar algumas precauções.

Por um lado, mesmo não considerando absurda a questão da escolha do órgão, não creio que se possa *demonstrar* a validade de uma teoria que pretenda dar uma resposta definitiva a essa questão.

Por outro lado, previamente a qualquer teorização, existem pressupostos e crenças que constituem doutrina. É, portanto, no melhor dos casos, dentro dos limites de um corpus doutrinal específico que se pode desenvolver uma teoria da escolha do órgão. Pode-se, em seguida, submeter essa teoria à prova da clínica. Por fim, pode-se julgá-la em função de três critérios: sua coerência teórica com a doutri-

---

4 P. Marty, M. de M'Uzan. "La pensée opératoire", *Revue française de psychanalyse*, 27, 1963, p. 345-356.
5 P. Valas. "Horizons de la psychosomatique", *Analytica*, 48, 1986, p. 87-112; J.-A. Miller. "Quelques réflexions sur le phénomène psychosomatique", *Analytica*, 48, 1986, p. 113-126; J.-M. Thurin. "Psychosomatique", *Psychiatrie*, número especial, 1989, p. 87-88.
6 P. Marty, M. Fain, M. de M'Uzan, C. David. "Le cas Dora et le point de vue psychosomatique", *Revue française de psychosomatique*, 32, 1968, p. 679; J.-P. Valabrega. *Les Théories psychosomatiques*, Paris, PUF, 1954; J.-P. Valabrega. "Problèmes de théorie psychosomatique", *Encyclopédie médico-chirurgicale*, 1966, 37400 C.

na, sua pertinência em relação a certas situações clínicas e suas vantagens e desvantagens em comparação com a teoria da falta de sentido do sintoma somático.

Dizendo isso, alinho-me à ideia de que, em psicanálise, não se demonstra uma teoria, mas se argumenta.

As pedras angulares da doutrina na qual se insere a teoria que argumentarei são as seguintes:

Primeiramente, não existe "somatização" se entendemos por esse termo a progressão espacial, associada a uma sucessão temporal, de uma moção que passa de um estado inicial psíquico a um estado final físico. O próprio conceito de somatização (de um conflito, de uma angústia, etc.) implica o dualismo psicossomático, com o qual eu não concordo. Nesse âmbito, adoto antes o ponto de vista enunciado por Davidson designado como "monismo anômalo"[7].

Em segundo lugar, toda moção pulsional é endereçada ao outro. Não sendo puramente solipsista, ela está sempre à espera de ser recebida pelo outro, até mesmo compreendida por ele. A moção pulsional possui, portanto, uma dimensão psicodinâmica e expressiva. Essa dimensão expressiva sempre mobiliza o corpo a seu serviço (não somente as palavras). Não há intersubjetividade sem mobilização dos corpos. A esse envolvimento do corpo, na dramaturgia da moção pulsional endereçada ao outro, dou o nome de *agir expressivo*, que recapitula, no registro dinâmico, a tese do monismo psicossomático proposta por Davidson[8].

Em terceiro lugar, em compensação, concordo com o *dualismo pulsional*, formulado por Freud, entre pulsão de vida e pulsão de morte, como duas espécies pulsionais radicalmente diferentes, embora a pulsão de vida seja

---

7 D. Davidson. "Mental Events", *in* L. Forster, J. W. Swanson (dir.). *Experience and theory*, Amherst University of Massachusetts Press, 1970, p. 79-101 (trad. fr. *in* M. Neuberg (dir.). *Théorie de l'action*, Liège, Mardaga).

8 C. Dejours. "La corporéité entre psychosomatique et sciences du vivant", *in* I. Billiard, *Somatisation. Psychanalyse et sciences du vivant*, Paris, Eshel, 1994, p. 93-122.

"derivada"[9] da pulsão de morte por um processo cujo alcance propus[10] estender ao corpo, denominando-o "subversão libidinal" (das determinações biológicas).

Esses três pontos se distinguem dos pressupostos de Marty e se inserem num corpus doutrinal diferente[11].

## O CORPO: STATUS TEÓRICO

A tese da escolha do órgão implica a referência à teoria da *subversão libidinal* do ônus biológico (ou, ainda, de uma parte da energia das funções de autoconservação) e à tese complementar da construção do segundo corpo (ou corpo erótico) a partir do corpo fisiológico. O corpo erótico seria mobilizado no agir expressivo endereçado ao outro, com limites a essa mobilização resultantes do inacabamento e das lacunas que afetam esse corpo erótico de maneira mais ou mesmo profunda. Nessa concepção, as falhas do corpo erótico são herdeiras da história das relações entre a criança e seus pais. Em outras palavras, para fazer advir o corpo erótico, a subversão libidinal do corpo fisiológico seria submetida à capacidade dos pais de *jogar* com o corpo da criança nos diferentes registros possíveis do agir expressivo. Jogar com o corpo, com as funções do corpo, supõe a liberdade psíquica e expressiva dos pais. Os registros nos quais os pais não são capazes de jogar (ou porque são frios, insensíveis e não são solicitáveis, ou porque são excessivamente excitáveis e ficam angustiados quando convidados pela criança a entrarem nesse terreno de jogo, reagindo com violência) deixam traços duradouros no corpo da criança. Tais traços assumem a forma de incapacidades parciais, específicas, de mobilizar o corpo a serviço do agir expressivo na intersubjetividade ou, ainda, sedimentam-se sob a forma de limitações ao uso de si mesmo na dinâmica intersubjetiva, na expressão dos diversos registros afetivos e eróticos.

9   J. Laplanche.*Vie et mort en psychanalyse*, Paris, Flammarion, 1970, p. 30-43.
10  C. Dejours. *Le Corps entre biologie et psychanalyse*, Paris, Payot, 1986.
11  C. Dejours. "Doctrine et théorie en psychosomatique", *Revue française de psychanalyse*, 7, 1995, p. 59-80.

O registro do uso do corpo forcluído da troca intersubjetiva estaria ligado, portanto, ao fracasso de um processo de subversão que incide sobre a *função* e não sobre o órgão. A noção de subversão libidinal procede de uma generalização teórica do conceito freudiano do apoio. O apoio, diz Freud, é "apoio da pulsão na função"[12]. Na subversão libidinal são também as funções que estão primordialmente envolvidas. Os órgãos só participam da subversão libidinal por estarem a serviço de uma função, servindo, assim, de zona erógena que possibilita o apoio ou a subversão libidinal.

### "A ESCOLHA DA FUNÇÃO"

Em outras palavras, os impasses da relação com os pais nos jogos corporais concretizam-se no fracasso da subversão de certas funções fisiológicas que permanecem sob o primado do fisiológico por não terem sido suficientemente subvertidas em proveito da expressividade libidinal na intersubjetividade. Veremos mais adiante um exemplo disso.

Denomino "exclusão (ou proscrição) da função" para fora da ordem erótica o fracasso da subversão libidinal de uma função biológica. Ela pode ser clinicamente identificada nas "paresias" do corpo ou nas inabilidades, rigidezes, inexpressividades, friezas, enrijecimentos e inibições do corpo na troca intersubjetiva, tanto na construção das manifestações da sedução ou da raiva, da agressividade ou da ternura e da sensibilidade, como na motricidade, nas alterações do timbre de voz, no estupor ou no riso, etc.

A *escolha do órgão*: nessa concepção, a descompensação somática não circularia às cegas pelo corpo, mas dirigir-se-ia eletivamente para a função proscrita do agir expressivo. Isso me faz propor a substituição da questão da escolha do órgão por aquela da *função*. A doença somática se alojaria em um ou mais órgãos do corpo não de forma aleatória, mas na estrita medida de seu envolvimento na função biológica excluída da subversão libidinal.

---

[12] S. Freud. *Trois essais sur la théorie sexuelle*, 1905.

Podemos então deduzir que, se há uma "escolha" inconsciente, esta diz respeito à função que traz a marca dos impasses psíquicos parentais. O órgão não é escolhido diretamente. Além da função erótica ou expressiva visada, é afetada a função biológica; o órgão é afetado apenas secundariamente.

### O PROCESSO FISIOPATOLÓGICO

O que dizer do processo fisiopatológico (processo inflamatório ou vascular, cancerização, processo infeccioso, reação alérgica, comprometimento neuropatológico, etc.)? Se, por exemplo, o agir expressivo do tocar ou da carícia é excluído da troca intersubjetiva, e se a descompensação somática visa justamente à função sensorial epicrítica da pele, esta pode ser afetada por diferentes processos fisiopatológicos: eczema, psoríase, câncer de pele, neurodermatite, úlcera vascular, impetigo, etc.

O processo fisiopatológico não seria escolhido; ele seria ditado pelo genótipo. A descompensação somática expressaria o genótipo em fenótipo. Somente algumas doenças seriam possíveis em determinado sujeito, com exclusão de outras, em função de sua idiossincrasia, na acepção genética do termo.

### DESCOMPENSAÇÃO E INTERSUBJETIVIDADE

A descompensação ocorreria quando o outro, na dinâmica intersubjetiva, solicitar ao sujeito algo que o obrigue a mobilizar a função proscrita. Isso ativaria no sujeito — confrontado com sua impotência, frigidez, rigidez ou paralisia — uma *violência compulsiva reacional* (de proteção contra o temor de sentir o vazio em si mesmo) dirigida contra o objeto causador do transtorno. Mas, barrada pela inibição, ela desencadearia a descompensação. A inibição dever ser entendida aqui no sentido corrente da palavra. O próprio processo em questão nessa inibição merece ser discutido. Ele viria especificamente da repressão (*Unterdrückung*), sem a qual não haveria descompensação somática.

A inibição desempenharia aqui um importante papel econômico, na medida em que determinaria o desencadeamento da descompensação somática. Sem a inibição, a descompensação poderia ter tomado a configuração clínica da atuação compulsiva. A inibição, que supõe a intervenção do eu, agiria, portanto, na encruzilhada psicopatológica entre descompensação somática e descompensação psicopática (ou caracterial). É nessa perspectiva que se poderia considerar admissível o uso da expressão "escolha do órgão" (ou melhor, "escolha da função") nas descompensações somáticas.

### ESCOLHA DA FUNÇÃO E MENTALIZAÇÃO

Para terminar esta breve recapitulação das teses que endossam o valor significativo do sintoma somático, devemos acrescentar que essa teoria da escolha da função não dá acesso *ipso facto* a uma "chave do sentido dos sintomas" (da mesma forma que não há chave dos sonhos). Na verdade, a maior parte dos órgãos ou das vísceras está envolvida em várias funções. Por exemplo, a pele serve para proteger das infecções (a função imunitária), para regular a temperatura (o emunctório do suor), para fornecer informações sensoriais (a sensibilidade tátil e epicrítica), etc.; o nariz serve para sentir os odores (o olfato), mas é também uma via aérea (a respiração); a língua serve para informar gostos (a gustação), articular sons (a fala) e deglutir (a digestão), etc. A localização do sintoma ou da doença em um órgão não permite remontar *diretamente* à função biológica e, desta, ao registro do agir expressivo atrofiado cuja solicitação traumatizante dá origem à descompensação. O significado da localização patológica só pode ser obtido a partir da fala do paciente, pelas associações que ele consegue transmitir ao analista na transferência sobre o registro expressivo que é solicitado e põe o eu corporal em desordem.

Como fica o conceito de "mentalização" nessa perspectiva? Não se trata mais apenas dos processos de ligação intrapsíquica da excitação e do traumatismo, tampouco da interiorização apenas, mas da maneira pela qual o corpo (a corporeidade) é comprometido nesse processo.

No início, o agir expressivo é herdeiro da subversão libidinal, que ele recapitula e põe iterativamente à prova da intersubjetividade. Porém, mais adiante, o agir expressivo adianta-se, às vezes, à formação ou à conceitualização da intenção (ou da moção pulsional) ou, dizendo de outra forma, o agir expressivo abre caminho para a figuração daquilo que se apresentará posteriormente à elaboração e à simbolização.

Assim, é mais além do agir expressivo que se cumpre o processo de mentalização enquanto simbolização e reapropriação da intencionalidade. Porém — e este é o ponto mais importante nesta concepção —, *o processo de mentalização parte do corpo*; ele é, antes de tudo, corporal.

## Câncer e raiva: um caso clínico

A senhora B. vem consultar aos 60 anos de idade, encaminhada por um colega com quem seu marido se trata por uma síndrome depressiva e hipocondria. Essa mulher, uma grande fumante, foi recentemente diagnosticada com um tumor maligno no pulmão. Ela está convicta de que não resistirá à operação. A morte lhe seria indiferente, não fosse um medo terrível! A única coisa a lamentar é não poder concluir sua obra: a fundação de um museu.

Se algo a mantém viva não é, portanto, o amor; nem o amor pelo marido, nem pela filha, nem pelos familiares. É a sua obra. Isso já situa, de saída, a problemática psiconeurótica dessa paciente no terreno privilegiado da sublimação, do ideal e da busca de reconhecimento na dinâmica da realização pessoal no campo social, mais do que no campo erótico.

Podemos relatar alguns elementos de sua história. De origem judaica, ela emigra para a França no final da guerra. Obtém o status de refugiada, aprende o francês, faz faxinas para viver, mas tem dificuldade de suportar essa condição que ela considera degradante em relação às suas esperanças de realização. Posteriormente, faz uma brilhante carreira como funcionária pública de alto escalão encarregada da gestão dos museus.

A senhora B. esconde sem falhas aquilo que ela tende a considerar como sendo uma tara, isto é, o fato de ser judia. Aliás, não se sente absolutamente judia! Ninguém sabe disso ao seu redor. Sequer seus próprios filhos, fato este que, a meu ver, terá grande importância na eclosão de sua doença.

Essa mulher esconde, então, sua judeidade, ao mesmo tempo em que se queixa constantemente de ser vítima de uma falta de reconhecimento social, apesar do valor de seu trabalho. Além disso, ela é muito preocupada com a sua aparência física, com a juventude do seu corpo, e vivencia com enorme dificuldade o aparecimento de rugas ou de um sobrepeso. Uma verdadeira fobia! Trata-se, portanto, de uma problemática em que a "doença da idealidade" tem um papel organizador.

Ao invés do reconhecimento social esperado, ela sofre muitos ataques ao seu amor-próprio, à sua identidade, principalmente no trabalho, onde não lhe dão o devido valor e, sobretudo, onde se sente magoada pela falta de consideração, ao contrário do que teria o direito de esperar.

Mas outras feridas frequentes lhe são infligidas pelo marido. Este não sabe se defender e sofre frequentemente humilhações ou injustiças menos inofensivas que aquelas sofridas por sua mulher. Toda vez que ele é vítima de um novo aborrecimento, sua mulher reage com extremo vigor como se fosse com ela mesma.

Além disso, a relação com o marido é ambivalente. Ela não tolera bem sua presença constante ao lado dela. Ele é "pegajoso", sempre muito atencioso, preocupado quando sua mulher sai, mas isso não o impede, às vezes, de ser muito agressivo, de desrespeitá-la ou mesmo de ser tirânico e ciumento. Ela *precisa de ar*, diz a senhora B. Sente-se sufocada. Tenta viajar a trabalho para poder se afastar de casa e da situação, mas seu marido não suporta essas separações. Como não consegue impedi-la de viajar, ele resolve acompanhá-la e envenena toda a viagem com sua presença pusilânime e receosa.

Explicita-se aqui, então, uma segunda faceta da problemática: junto com a "doença da idealidade", há espaço para uma estreita relação com o marido, acompanhada por uma ambivalência ativa.

Um terceiro elemento da problemática psiconeurótica dessa paciente é revelado, como o anterior, após vários anos de psicanálise: ela sucumbe a profundos movimentos de mal-estar, de colapso de sua "autoestima", de depressão, incontestavelmente ligados a sua incapacidade de reagir de forma conveniente às situações que a ferem. Trata-se da impossibilidade (por inibição) de expressar convenientemente seus próprios sentimentos de hostilidade (e de se proteger da agressividade alheia).

Durante os três anos de análise subsequentes à intervenção cirúrgica (à qual ela não só resistiu, como também da qual venceu satisfatoriamente os efeitos, os tratamentos pós-operatórios, a radioterapia, a reeducação respiratória, o controle médico), em que ela parece curada de seu câncer, depreende-se, então, um complexo: ideal sublimatório, identificação com as tribulações do marido, vulnerabilidade extrema às humilhações, inibição das formas expressivas das moções de agressão.

Aparentemente, nada leva ao câncer de pulmão nessa problemática. O que vem fazer essa doença na história da senhora B.? Não haveria nenhum sentido? Ou se trataria, então, de uma "doença acidental" ocasionada por produtos cancerígenos sem qualquer intencionalidade (o tabaco dos seus cigarros)?

Como e em que circunstâncias o câncer foi revelado?

Ao que tudo indica, e a paciente concorda, houve um momento de fratura, de certa forma, dois anos antes do câncer, seguido de uma depressão menor. Foi o casamento de sua filha. Esta se casou com um belo homem, mas de difícil convivência, com quem a paciente não se entende muito bem e que tem uma peculiaridade essencial para a senhora B.: ele pertence a uma família aristocrática, e seu pai é militante ativo do *Front national*[13], de modo que estão sempre presentes, nas reuniões de família, membros do alto escalão dessa formação política!

Retorno justificado da recusa: a filha, judia sem sabê-lo, passa a fazer parte de uma família radicalmente antissemita, à qual ela está agora muito mais ligada do que à família de origem, que é de uma classe social inferior. Sem dúvida, a senhora B. encontra o desprezo nessa família do genro; aliás, ela não consegue suportar esse meio *franchouillard*[14].

Com o retorno do que é recusado, essa mulher mergulha então numa confusão que ela não compreende muito bem, mas que se prolonga. Dois anos depois, um câncer de pulmão é identificado por radiografia. Qual é a relação entre esse acometimento do pulmão e o casamento da filha? Nenhuma, a não ser uma "depressão". Vários anos de psicanálise darão outras chaves de compreensão. Durante uma sessão, falando do marido que a irrita, a senhora B. diz: "Antes, era diferente. Quando não o aguentava mais, eu acendia um cigarro. Agora não posso mais". Ela tem a fantasia de se divorciar, mas não consegue fazê-lo, pois, no fundo, é muito apegada ao marido.

O casamento da filha teve duas consequências psicológicas: sofrer novamente o pesadelo do desprezo antissemita, agora dentro de sua própria família, e estar sozinha com o marido e sua ambivalência em relação a ele, sem a presença terceira da filha.

Na concepção da "escolha da função" defendida aqui, são as moções hostis que são nocivas e desempenham o papel principal nos processos psíquicos que acompanham os eventos somáticos. Para sermos mais precisos, podemos dizer que o perigo não está na hostilidade em si, nem na violência, nem na agressividade. Ele está essencialmente *na impossibilidade de encenar o drama intrapsíquico* e de manifestá-lo na intersubjetividade. O drama existe, mas sua

---

13 N.T.: É um partido político francês de extrema-direita e de caráter protecionista, conservador e nacionalista, tendo em seus quadros Marine Le Pen.
14 N.T.: Francês chauvinista e conservador.

*dramaturgia* é bloqueada. É o agir expressivo que não pode carregar as moções hostis.

De fato, essa paciente é incapaz de expressar sua hostilidade e, sobretudo, de transformá-la em alguma coisa na dinâmica intersubjetiva. Totalmente incapaz. E toda vez que repete essa experiência de "impotência expressiva", ela tem um enorme sentimento de mediocridade, de vergonha e de depressão. A impotência expressiva é perigosa, não tanto no plano *econômico*, como sugere a teoria de Marty, mas no plano propriamente *dinâmico*. Não é a ausência de descarga pulsional que é nociva neste caso. É o fato de que, na ausência de um agir expressivo, a paciente não consegue se proteger de maneira eficaz daquilo que, proveniente do outro, provoca nela sua própria hostilidade. Na incapacidade de evitar a solicitação (pela humilhação) da "zona de sensibilidade do inconsciente" (Fain, 1981), o resultado é uma hostilidade excitante e danosa com a qual ela não sabe lidar. Hostilidade não significa necessariamente violência agida. A hostilidade é perfeitamente representada nessa paciente em fantasias. Sua análise fornece muitos exemplos de sonhos em que ela mata ou manda executar pessoas que a irritam. O que falta aqui é o agir expressivo da *raiva*. Como expressamos a raiva contra alguém que nos importuna? Qual é a dramaturgia psicossomática da raiva?

Percebo que, em nossas culturas, a expressão da raiva passa pela inalação brusca do ar, seguida pelo bloqueio do tórax numa inspiração forçada e acompanhada por uma interrupção da fala enquanto os olhos se injetam e o rosto se ruboriza. Por fim, a expiração é brusca, terminando geralmente numa *vociferação* ou num *grito*.

Assim, a dramaturgia da raiva é respiratória e vocal, antes de ser motora. A expressão da raiva dirigida a outrem deve ser diferenciada da violência física. O agir expressivo é diferente do agir compulsivo. É até mesmo o seu oposto. O *agir expressivo* é a maneira pela qual o corpo se mobiliza a serviço da *significação*, isto é, a serviço do ato de significar a outrem o que vive o eu [o sujeito]. O corpo acompanha a fala, à qual ele dá carne, e contribui decisivamente para completar o sentido que, sem a mobilização e a participação do corpo, não seria o mesmo.

O agir expressivo recapitula, numa moção única, o enunciado e sua dramaturgia. Não é somente o que é dito, é também a maneira de dizê-lo. E a maneira de dizê-lo afeta o que é dito. A forma expressiva contribui para a construção do sentido daquilo que é dito. A tal ponto que se pode, às vezes, expressar alguma coisa para alguém quase sem pronunciar palavras, apenas pela dramaturgia corporal. A raiva, por exemplo, pode ser exprimida pelo corpo quase sem palavras: pelo corpo e pelo grito.

Além disso, o agir expressivo mobiliza o corpo inteiro, não apenas a motricidade voluntária — os gestos, as mímicas, a gestualidade, etc. —, mas também as vísceras — respiração, suores, tremores, taquicardia, palidez ou eritrose, constrição laríngea, secura da boca, midríase ou miose, espasmos abdominais, etc.

Em outras palavras, o agir expressivo mobiliza todas as funções fisiológicas, não mais a serviço da regulação dos meios internos ou da homeostasia, mas em benefício da encenação do sentido, em benefício da dramaturgia.

Sem dúvida, é importante ressaltar, para concluir, que não se pode fugir, sem nada perder, da obrigação de passar pelo agir expressivo. A encenação da *significação* é necessária para que esta se cumpra e seja compreendida por outrem. Assim, esquivar-se da exigência dramatúrgica e fazer um discurso monocórdio, plano, inexpressivo, corre o risco de prejudicar tanto sua compreensão pelo outro quanto sua força ilocutória. Porque, no agir expressivo, o corpo não traz somente o sentido, mas provoca também reações no corpo alheio, *age* sobre aquele a quem se dirige. Em geral, esse agir não deixa o outro indiferente, ou seja, exerce uma ação sobre ele que pode modificar a dinâmica intersubjetiva, indicando-lhe os limites a não serem ultrapassados, os limites de tolerância emocional e afetiva do sujeito.

Pois bem, a senhora B. é incapaz de esboçar esse agir expressivo da raiva! Talvez o leitor ache isso risível. Um câncer de pulmão por uma incapacidade de expressar a raiva! Não seria um tanto exagerado? Não seria uma tentativa de voltar ao surrealismo? Não seria apenas uma elucubração fantasiosa? Vamos sustentar então uma resposta firme diante dessas suspeitas. A dramaturgia da raiva é um elemento determinante do controle da dinâmica sujeito-objeto; ela é insubstituível. Se ela não permitir tratar adequadamente as moções violentas, uma solução pode ser encontrada: a operação ocorre sem transição da moção hostil em direção à atuação. Ou então, ao contrário, uma solução não é encontrada, devido à inibição (do agir expressivo da raiva) que se interpõe; neste caso, a violência se volta contra a própria pessoa: mau humor, aborrecimento, autodepreciação, depressão e até mesmo acidente somático.

Como consequência da inibição do agir dramatúrgico, a ausência de reação aparente da senhora B. suscita no outro o sadismo ou simplesmente a incúria em relação ao seu estado psíquico que não é percebido. Com o risco enorme de que o outro ultrapasse sistematicamente o limite de tolerância psíquica do sujeito, que se sente cada vez pior e pode adoecer por isso.

Para a senhora B., o outro se torna intrusivo no próprio corpo dela. Há uma falta de defesa paranoica. A perseguição se torna efetiva, a efração de si pelo outro passa a ser inevitável e danosa.

Considero, pois, a estruturação do agir expressivo da raiva como uma das funções dialógicas necessárias à preservação da identidade e da saúde mental *em qualquer pessoa,* sem exceção, não somente na senhora B. Não podendo encenar a raiva, a senhora B. *acendia um cigarro.* Na verdade, quando o limite entre o eu e o outro não se mantém, o outro se torna sufocante, impedindo de respirar. *Não se pode mais suportá-lo*[15]. Então, ou é a pele que reage, ou é o pulmão: transpiração, "mau odor"; tosse, cuspe, dispneia. Essa pa-

---

15 N.T.: No original, *le sentir* expressa um triplo sentido: suportar alguém (expressão idiomática), sentir seu cheiro e seu toque.

ciente seria uma boa candidata a uma crise asmática, a um eczema ou a qualquer outra patologia do mesmo tipo.

O processo fisiopatológico, como eu afirmei, não é escolhido. O órgão, pele ou pulmão, pode até ser designado como alvo, mas é preciso também que existam predisposições genéticas e condições ambientais adequadas para o surgimento da doença. A paciente não tem nenhuma hereditariedade alérgica. Em compensação, sua família foi acometida por muitos casos de câncer. A senhora B., por sua vez, desenvolve um câncer de pulmão. A escolha diz respeito à *função* — aqui a função respiratória —, mas não ao *processo* fisiopatológico, que dependeria mais da genética e do ambiente. A senhora B. dispunha, sem dúvida, das duas condições necessárias: uma delas é hipotética — diz respeito ao terreno genético propício ao processo canceroso — e a outra é certa (o cigarro).

Na teoria da escolha da função, a facilitação é traçada nas fases precoces do desenvolvimento. No caso da senhora B., quanto a esse ponto, não dispomos de todos os esclarecimentos. Mas sei pela rememoração da paciente que, em suas relações com os pais, ela não dispôs de espaço propício ao jogo, para encenar a raiva. Por razões que eu desconheço, seus pais também eram totalmente incapazes de enfurecer. Porém, uma coisa é certa: essa dimensão expressiva da raiva ainda não apareceu no trabalho analítico, ou seja, na transferência. Passados três anos de análise, isso não deixa de ser um sinal. Convém ressaltar, por outro lado, que essa situação não é excepcional. A estruturação da expressividade da raiva na criança é difícil. Muitos pais se sentem totalmente desorientados diante de seus anjos furiosos. Ora, é justamente do modo como essa questão é jogada com as crianças, em longo prazo, que dependem a estruturação e o uso flexível da força expressiva da raiva no adulto.

Para encerrar a apresentação dessa teoria da escolha da função, da forclusão da função, do papel central da compulsão (violência) e do sentido das afecções somáticas, citarei um mito budista que teria sido trazido a Freud, em 1932, pelo doutor Kosawa Heisaku, e que "devia corresponder, por sua intenção, ao mito de Édipo", segundo Françoise Davoine e Jean-Max Gaudillière[16]. Estes dois autores o citam na sustentação de um trabalho sobre a psicopatologia e o tratamento das psicoses. Tomo-lhes emprestado nos mesmos termos o relato que fazem desse mito, porque ele condensa de forma impressionante muitas proposições nas quais se baseia a teoria da escolha da função nas doenças somáticas.

*Mito de Ajasê*. Uma rainha já envelhecida, preocupada em manter o desejo do rei, seu esposo, consulta um adivinho que a aconselha a ter um filho. Esse adivinho lhe diz que a criança que nascerá será a reencarnação de um sábio que vive na floresta: a gravidez acontecerá, portanto, após a morte desse homem, prevista para três anos mais tarde. Com pressa, a rainha manda executar imediatamente o sábio. Ela engravida, de fato. Mas o remorso a consome. Ela tenta abortar uma primeira vez sem sucesso. A gravidez chega a termo, e nasce um menino, Ajasê. O mesmo remorso leva a mãe a jogá-lo do alto de uma torre. Sem resultado.

A infância do jovem príncipe é feliz, até o momento em que, naturalmente, ele toma conhecimento tanto do segredo de seu nascimento como das duas tentativas violentas que sofreu. Ele nutre então um grande ressentimento pela mãe e, desta vez, é ele quem decide matá-la. Um sábio vem dissuadi-lo de passar ao ato, mas a intenção apenas já alimenta o seu remorso. O príncipe adoece gravemente: convulsões e, sobretudo, uma doença de pele que repulsa todo mundo de seu corpo pútrido e malcheiroso. No entanto, uma única pessoa pode vir cuidar dele: sua mãe, que, por sua presença, mostra-lhe que ela o perdoou. Ela consegue curá-lo, enquanto o final feliz faz com que a história passe pelas perdas e ganhos dos perdões recíprocos em que são esquecidos os infanticídios e matricídios.

---

16  F. Davoine, J.-M. Gaudillière. "À propos d'Amae", *Critique*, 428-429, 1983, p. 55-60.

# CAPÍTULO III
# O sonho

## Entre a teoria biológica e a teoria psicanalítica do sonho

Como a angústia está no cerne das crises e das manifestações agudas das doenças, e as alterações duradouras dos mecanismos envolvidos na memória levam a processos *crônicos* de destruição do corpo, o estudo do sonho deveria possibilitar extrair as regras de passagem do agudo ao crônico, da angústia à memória. Mas o sonho, ao mesmo tempo em que garante a integração da vivência da angústia na experiência e na memória psíquica, poderia ser um meio privilegiado de conjuração, tanto da atualização da angústia como da degradação dos processos de memória.

É desnecessário retomar aqui a teoria psicanalítica do sonho. Esta é, de fato, bem conhecida e, diferentemente da teoria da angústia ou daquela da memória, não sofreu nenhuma modificação significativa desde *A interpretação dos sonhos*, nem na obra de Freud nem naquela de seus sucessores. Resumir essa teoria seria, na verdade, resumir toda a psicanálise, o que não é o propósito deste livro. Do lado da biologia, a teoria do sonho forma também um conjunto bastante limitado e não requer ser extraída de dados heterogêneos pertencentes a várias disciplinas diferentes. Como último argumento, a fisiologia do sonho é bastante recente e não está sedimentada nos diversos níveis da biologia, mesmo acrescentando aos estudos eletroencefalográficos outros estudos mais recentes da neuroquímica e da psicofarmacologia, embora menos coerentes por enquanto.

Começaremos por submeter os conceitos psicanalíticos à prova da biologia do sonho, para depois fazermos uma crítica da teoria biológica à luz da psicanálise.

Convém lembrar, todavia, que, nesse modo de proceder, não intencionamos fazer uma síntese biológico-psicanalítica da interpretação do sonho. A interpretação e a decifração do texto onírico não podem, em hipótese alguma, ser corroboradas ou infirmadas pela biologia. A interpretação é subjetiva, ou melhor, intersubjetiva, e não poderia ser validada fora da relação transferencial. Além disso, várias interpretações de um mesmo sonho são sempre possíveis e, indo além do debate para decidir as interpretações concorrentes, é preciso, às vezes, aceitá-las simultaneamente. Isso está ligado ao que Freud chama de sobredeterminação ou sobreinterpretação[1], noção fundamental que confere ao sonho um valor de compromisso entre diferentes conteúdos psíquicos em que cada um merece sua própria interpretação. Portanto, não há interpretação unívoca de um sonho.

Se uma discussão sobre o sonho é possível, esta se dará em torno dos resultados adquiridos pela biologia e pela teoria psicanalítica do sonho em geral, mais especificamente sobre as inevitáveis implicações biológicas da metapsicologia do sonho. Mais do que sobre os próprios conteúdos dos sonhos, a discussão versará aqui sobre o sonho como objeto mental, como formação psíquica e como função a serviço da economia psicossomática.

As bases biológicas a que Freud faz referência estão reunidas no primeiro capítulo de *A interpretação dos sonhos*.

---

1   J. Laplanche, J.-B. Pontalis.*Vocabulaire de la psychanalyse* (verbete "Surinterprétation"), Paris, PUF, 1967, p. 469-470.

Mas essa referência é apenas acessória, na medida em que, na biologia, nada leva à interpretação, pois, em qualquer circunstância, esta constitui uma ruptura em relação à abordagem fisiológica. Não é nessa direção, portanto, que encontraremos elementos para criticar os fundamentos da interpretação freudiana. Em compensação, algumas noções-chave merecem ser discutidas.

### "O SONHO É O GUARDIÃO DO SONO"

Qual a necessidade de introduzir essa noção na teoria psicanalítica do sonho? Freud explica isso no capítulo VII de *A interpretação dos sonhos*. Se o sonho é a satisfação de um desejo ou de uma aspiração proibida no estado de vigília, por que essa satisfação seria mais permitida no sono que na vigília? É claro, o sonho vem acompanhado por uma atenuação da censura que é suficiente para explicar a realização do desejo. A satisfação de um desejo inconsciente entra em contradição com a angústia ligada ao surgimento desse desejo proibido. No estado de vigília, o eu, que quer tranquilidade, escolhe reforçar a proibição, e o desejo permanece recalcado. Se o sonho realiza esse desejo é porque o eu mudou de ideia. É preciso admitir, então, que um novo elemento intervém para influenciar o eu no sentido da indulgência em relação ao inconsciente. Esse elemento novo é o desejo do eu de dormir. Para poder continuar dormindo, é preciso relaxar a pressão exercida pelo inconsciente, senão isso leva a despertar. Assim surge o sonho, cuja função é justamente dar alguma recompensa ao inconsciente, concedendo-lhe a satisfação de um desejo proibido que teima em se manter à porta do pré-consciente. Nesse sentido, o desejo de dormir joga a favor da moção inconsciente. E Freud lança, então, a ideia de que o sonho é, economicamente falando, o guardião do sono.

Ora, essa assertiva é necessária para inverter a proposição frequente segundo a qual é o sonho que desperta o eu adormecido. Em outras palavras, ela é coerente e, portanto, necessariamente associada à ideia de que o sonho se opõe à angústia. De fato, se o sonho realiza um desejo é por ocasionar uma redução da tensão no aparelho psíquico, vindo acompanhado, assim, por um afeto de prazer. Essa posição é exatamente oposta ao sonho como fonte de angústia, ou seja, de desprazer. Dizendo de outro modo, a afirmação de que o sonho realiza um desejo é indissociável da afirmação de que o sonho deve estar ao mesmo tempo a serviço do sono.

Essa ideia de que o sonho está a serviço do sono também é fundamental na clínica, principalmente na psicossomática. De fato, insônia é, para o analista, sinal de um fracasso do trabalho do sonho e de sua função econômica em benefício da regressão do eu e do sono reparador. Se um paciente desperta durante o sonho é justamente porque esse sonho fracassou em sua função de compromisso entre o desejo a ser satisfeito e o "eu-censura" a não despertar. Por isso, o sonho mostra ser uma peça fundamental do dispositivo mental normal a serviço do equilíbrio econômico do eu.

Questionar essa função econômica do sonho significaria desmantelar toda a teoria psicanalítica. Ora, é bem isso que fazem explicitamente alguns neurofisiologistas, Michel Jouvet em particular[2]. Sua argumentação é a seguinte: o sonho, que acontece durante as fases do sono paradoxal, é acompanhado por uma paralisia motora quase total e por uma elevação significativa do limiar do despertar. Esse estado biológico significa, no plano ecoetológico, "sem perigo". No entanto, é "o momento mais perigoso para um animal"[3].

Nessa concepção, Jouvet parece cometer um erro de interpretação sobre o sentido da assertiva freudiana. Em outro momento, ele explica que o sono paradoxal não pode ser uma vantagem na seleção natural[4]. Se, por um lado, Freud

---

2 M. Jouvet. "Le comportement onirique", *Pour la science* (número especial) sobre "Le cerveau", 1979, p. 136-153.
3 *Id., Ibid.*, p. 152.
4 M. Jouvet. "Le rêve", *La Recherche* (número especial) sobre "La recherche en neurobiologie", Paris, Seuil, 1977, p. 125-164.

afirma que o sonho é guardião do sono, isso não quer dizer, por outro lado, que sem sonho não possa haver sono. Jouvet entendeu que Freud dizia que "o sono paradoxal é o guardião do sono lento". No entanto, Freud fala do sonho e não do sono paradoxal. E a equivalência, admitida hoje por todos os pesquisadores, entre o sonho e o sono paradoxal merecerá justamente nossa atenção mais adiante, pois, afinal, ela não é óbvia.

Em contrapartida, outra crítica pode ser oposta à assertiva freudiana. Se o sonho é guardião do sono, ele deve poder intervir quando solicitado, em função de estímulos externos ou de estímulos endógenos que perturbam o sono do indivíduo e podem despertá-lo. Porém, essa concepção do papel do sonho é impossível, por razões desta vez ligadas à evolução e à desvantagem considerável que isso causaria para o sonhador diante do perigo externo e da seleção natural. Além disso, a periodicidade do sono paradoxal condiz muito pouco com a flexibilidade exigida pela função de guardião que, afinal, faz sua ronda somente a cada noventa minutos, quaisquer que sejam as circunstâncias, ao que parece! Sem contar que, depois de uma fase de sono paradoxal, existe uma fase refratária durante a qual é impossível provocar uma nova fase de sono paradoxal.

No subtítulo sobre as fontes somáticas do sonho (Capítulo V, 3, de *A interpretação dos sonhos*), Freud afirma que o sonho pode integrar não somente excitações endógenas vindas do inconsciente, como também excitações dos órgãos sensoriais provocadas pela dor, pela necessidade de micção, pela fome, pela sede, pelo toque do despertador, etc. Essa hipótese foi efetivamente verificada[5] no que se refere aos estímulos produzidos durante as fases do sono paradoxal.

Por fim, Freud fala, referindo-se ao sonho, de um fogo de artifício e de sua formação extremamente rápida, às vezes instantânea. No entanto, para os biólogos, o sono parado-

---

5  W. C. Dement. *Dormir, rêver*, Paris, Seuil, 1982 [*Some Must Watch While Some Must Sleep*, 1972].

xal, considerado como a demonstração elétrica da atividade onírica, não é instantâneo, mas dura cerca de noventa minutos por noite!

Assim, a concepção freudiana do sonho parece concordar dificilmente com o caráter muito rígido, automático e programado do sono paradoxal, do modo como é definido pelas pesquisas fisiológicas. Voltaremos a tratar dessa contradição depois de uma incursão pela segunda função do sonho.

### "O SONHO É UMA REALIZAÇÃO DO DESEJO"

Essa afirmação, que constitui a própria base da interpretação dos sonhos, parece um pouco contraditória com o significado comportamental, relativamente estereotipado, que está relacionado com o sono paradoxal. De fato, uma das funções do sono paradoxal seria repetir mecanismos integrativos e motores subjacentes aos comportamentos inatos ou instintuais[6]. Assim, toda noite, esses comportamentos inatos e estereotipados são reatualizados, sugerindo que os instintos correspondentes também estão envolvidos de forma quase inamovível. Ora, essa periodicidade, essa repetitividade e essa rigidez combinam mal com a flexibilidade exigida pelos sonhos para realizar desejos cuja diversidade parece fabulosa, mesmo considerando apenas os sonhos apresentados por Freud.

### "ALGUMAS OBJEÇÕES À TEORIA BIOLÓGICA DO SONHO"

As objeções que serão aqui apresentadas convergem quanto à equivalência, aceita pela maioria dos biólogos, entre o sono paradoxal e o sonho. Essa equivalência repousa nos trabalhos de William C. Dement sobre relatos de sonhos que foram obtidos num despertar na fase do sono paradoxal comparados com o despertar em sono profundo. Outro argumento fundamental repousava na dita teoria da varre-

---

[6] M. Jouvet. "Le comportement onirique", artigo citado anteriormente, p. 158 et 159.

dura[7], segundo a qual os movimentos dos olhos durante o sono paradoxal podiam ser relacionados com o conteúdo imagético do sonho (Jouvet).

Várias reservas podem, contudo, ser emitidas a respeito disso. A equivalência entre o sonho (fenômeno subjetivo) e o sono paradoxal (fenômeno objetivo) manterá sempre certa ambiguidade. Por outro lado, existem também relatos de sonhos em caso de despertar na fase de sono profundo. No entanto, tais relatos parecem vagos, mais abstratos e menos imagéticos. Isso pode decorrer do fato de que os sonhos são efetivamente diferentes, de que a memorização ou a evocação depois de uma fase profunda são mais difíceis do que depois de uma fase de sono paradoxal ou, ainda, de que os processos de alteração da lembrança são diferentes conforme o momento do despertar. Mas tais diferenças não provam de forma definitiva que o sonho sobrevenha durante o sono paradoxal.

Além disso, o sono paradoxal precede ontogeneticamente a possibilidade de sonhos. De fato, o sono paradoxal existe *in utero*, imediatamente após o nascimento, ou até mesmo em sujeitos cegos ou privados artificialmente de estímulos visuais. Como os sonhos se expressam essencialmente em imagens, usando o material, segundo Freud, dos resíduos visuais da véspera, parece difícil admitir a equivalência entre o sono paradoxal e a produção onírica.

Por fim, a própria teoria da varredura foi contestada por Jouvet[8] a partir de experiências com animais que sofreram uma lesão no *locus coeruleus*, responsável pela inibição motora e pela atonia postural durante as fases do sono paradoxal. De fato, os comportamentos dos gatos testados são estereotipados e idênticos (higiene, agressividade, perseguição, etc.), se observados durante um longo período. A proporção desses comportamentos é relativamente estável[9].

---

7  H. P. Roffwarg et al. "Dream Imagery: Relationship to Rapid Eye Movements of Sleep", *Arch. Gen. Psychiatry*, 7, 1962, p. 235-258.
8  M. Jouvet. "Le rêve", artigo citado anteriormente.
9  M. Jouvet, 1977, p. 147.

Os movimentos oculares e as descargas ponto-genículo--occipitais (PGO) que partem de um marca-passo pontino--gerador começam alguns instantes antes da atividade cortical do sono paradoxal (de vinte a vinte e cinco milésimos de segundo). É por isso que as relações entre PGO, atividade cortical e varredura são questionadas.

Podemos, então, indagar legitimamente se o sono paradoxal e o sonho são mesmo simultâneos e equivalentes.

Aventamos outra hipótese. O sonho não sobrevém durante o sono paradoxal. Ele seria uma produção mental posterior a essa fase, ocorrendo durante o período do despertar. O sonho seria mesmo uma atividade que consistiria em uma seleção em meio ao material sensorial e motor ativado durante o sono paradoxal. Esse material seria, em grande parte, perdido pela consciência. O resíduo seria reunido pelo sujeito desperto, com os olhos fechados, de acordo com uma sequência construída em função de um encadeamento sem necessariamente ter um caráter lógico. Em outras palavras, para que um sonho seja fabricado, o sujeito precisaria estar desperto, mas não o suficiente para que o pensamento lógico esteja totalmente restabelecido. Criar-se-ia assim uma história onírica telescopada, regida por uma lógica "bizarra" e "fantasiosa", suficiente para produzir uma narrativa, isto é, uma sequência verbal, mas insuficiente para satisfazer a consciência plenamente vigilante.

Tal construção resultaria de uma tentativa do sujeito de traduzir a vivência dessa diferença de funcionamento e de ativação cerebrais entre sono paradoxal e vigília. Mas nada impede conceber que uma tensão também surja da diferença entre o sono na fase III ou IV e a vigília, como se entre dois regimes diferentes de funcionamento cortical nascesse uma "diferença de potencial" vivenciada somaticamente. A passagem do primeiro regime cortical ao segundo daria origem a uma série de experiências do corpo que teria o sonho como tradução subjetiva.

O sonho seria, pois, a tentativa de traduzir mentalmente essa mudança vivida de estado do corpo que a passagem de um regime de ativação ao outro ocasiona. Para isso, essa passagem precisa ser respeitada, isto é, o ambiente não deve perturbar demais esse momento intermediário entre o corpo como lugar de atividade dos comportamentos inatos e o corpo como lugar da atividade vigilante controlada e consciente[10].

A segunda condição é que o sujeito seja capaz de permanecer, durante certo tempo, imóvel e relaxado nesse estado intermediário, o que nem todo mundo consegue nas condições normais da vida. Alguns sujeitos conseguem buscar esse estado ou aproveitá-lo e sonhar longamente. Estes sujeitos fazem longos relatos de sonhos que, às vezes, são intermináveis.

É por essas mesmas razões que, em períodos calmos, de férias ou de simples repouso por uma doença sazonal, a atividade onírica aumenta muito. Alguns sujeitos só sonham aos domingos ou durante as férias. Compreende-se também que o sonho possa ser muito curto (cf. Freud) e, mesmo assim, integrar alguns estímulos externos.

Sem essas condições, o sonho é muito mais difícil. E, apesar de uma atividade hípnica normal, mesmo no sono paradoxal, existem sujeitos que nunca sonham ou sonham muito raramente. A clínica psicossomática é a primeira a ter identificado essa característica fundamental do funcionamento psíquico que confere diferenças notáveis aos pacientes segundo sua estrutura mental[11]. Voltaremos a esse ponto mais adiante para constatar que o fato de se recordar ou não dos sonhos não é apenas uma demonstração do funcionamento psíquico. É também uma função psíquica única e insubstituível da qual depende estreitamente o futuro físico e psíquico dos pacientes.

---

10 Um artigo recente de J.-P. Tassin apresenta novos argumentos para essa hipótese: J.-P. Tassin. "Le rêve naît du réveil", *Journal des psychologues*, 173, 1999, p. 54-61.
11 P. Marty, M. de M'Uzan, C. David. *L'investigation psychosomatique*, Paris, PUF, 1963.

## FUNÇÃO BIOLÓGICA DO SONO PARADOXAL E FUNÇÃO PSICOSSOMÁTICA DO SONHO

Para o biólogo, a questão é saber qual o papel fisiológico não do sonho, mas do sono paradoxal. O sono paradoxal desempenharia um papel na "homeostase cortical" ou um papel de estimulação endógena, durante a ontogênese, de certas estruturas nervosas em vias de maturação. Pode-se até mesmo pensar que o sono paradoxal seria responsável pela ativação de um repertório de montagens comportamentais geneticamente programadas. Assim, para alcançar um aprendizado, seriam necessárias, ao mesmo tempo, uma série de interrogações pertinentes por parte do ambiente e uma série de estímulos endógenos garantidos pelo sono paradoxal. Este desencadearia uma repetição dos mecanismos integrativos e motores subjacentes aos comportamentos inatos ou instintuais que se manifestam em cada etapa do desenvolvimento ontogenético. O papel do sono paradoxal seria, mais exatamente, "preparar, organizar e programar as sequências motoras de acordo com as etapas do desenvolvimento histórico do sistema nervoso, para que estas sejam perfeitamente realizadas quando as condições do meio externo e interno forem adequadas"[12]. Considerando-se a plasticidade sináptica, poderíamos conceber que o sono paradoxal esteja encarregado de coordenar e ligar as aquisições funcionais da vigília aos programas genéticos. Esse processo periódico endógeno estimularia regularmente as estruturas responsáveis pelo reconhecimento dos estímulos desencadeadores inatos ou dos comportamentos estereotipados que expressam as condutas inatas. *O sono paradoxal impediria, assim, a extinção das montagens comportamentais inatas* que poderiam sucumbir à concorrência dos comportamentos adquiridos no contato com o ambiente, graças à notável plasticidade dos contatos sinápticos.

Convém acrescentar a essas considerações, que dizem respeito essencialmente à integração sensório-motora, que

---

[12] M. Jouvet. "Le comportement onirique", artigo citado anteriormente, p. 159.

o sono paradoxal é também acompanhado por uma tempestade neurovegetativa e visceral, bem como por modificações endocrinometabólicas que talvez estejam também atreladas a esses conjuntos comportamentais, seguindo uma preparação visceral para essas montagens comportamentais.

Se o *sonho* — e não o sono paradoxal — se situa no tempo desse estado intermediário de consciência que separa esses regimes de ativação cerebral do sono daqueles da vigília, podemos compreender o seu papel fundamental na economia psicossomática. O sonho seria a elaboração mental, o instrumento da marcação da memória *psíquica* por esses encontros periódicos com as fontes instintuais e os comportamentos sensório-motores e viscerais inatos. Ele reproduziria, no plano psíquico, aquilo que o sono paradoxal realiza no plano estritamente neurológico das aprendizagens. O sonho seria — como o estado intermediário de consciência no qual nasce — o compromisso mental entre a experiência do corpo vivido quando são reativados os comportamentos arcaicos e a experiência do corpo quando funciona o sistema pré-consciente — consciente.

O sonho faria, assim, com que as experiências da vigília não fossem somente retomadas e estabilizadas pelo sono paradoxal em harmonia com os programas genéticos para fazer avançar as *aprendizagens*, mas que fossem retomadas também no plano propriamente psíquico e pudessem então participar da construção da *história individual* do eu. Em caso de ausência de sonho, podemos postular que essa última etapa psíquica não foi realizada apropriadamente e que as aprendizagens prosseguem à revelia do aparelho psíquico, que não capitaliza mentalmente essas experiências de forma personalizada. Essa hipótese de que o sonho seja uma produção não obrigatória e não regular liberta o trabalho onírico da rigidez biológica que a referência ao sono paradoxal e aos seus conteúdos comportamentais estereotipados implica. É nessa condição que se pode compreender a extraordinária variedade dos conteúdos oníricos que exige uma criatividade que casa mal com as exigências biológicas às quais ela estaria supostamente ligada.

Então, por um lado, se nada permite refutar que gatos sonhem, uma vez que têm sono paradoxal, por outro, nada permite afirmá-lo também, sobretudo porque, sem palavras para contá-los, não sabemos exatamente se ainda é possível falar de sonho no sentido psicanalítico do termo. Em todo caso, podemos aventar a hipótese de que o sono paradoxal é, antes de tudo, um fenômeno somático e que tal fenômeno pode suceder totalmente à margem do funcionamento psíquico, até mesmo à margem de qualquer produção onírica.

Admitindo-se, portanto, essa função do sonho em proveito da organização do funcionamento e do aparelho psíquicos, admitindo-se também que o sonho tenha uma função de organização psíquica do corpo vivido quando se alimenta na fonte de seu funcionamento arcaico (ontogênico e filogênico), poderemos conceber que o sonho seja o mediador privilegiado entre o passado recente e o passado antigo, encarregado da junção entre os dois passados. Nesse sentido, o sonho é um *organizador psicossomático*.

Porém, essas considerações são unicamente baseadas naquilo que a biologia do sono paradoxal nos ensina. O próprio sonho usa seus próprios meios para constituir a história do sujeito e integrar harmoniosamente os acontecimentos significativos da vigília na tessitura já formada no inconsciente pela história passada, cuja trama é a história infantil.

Em *A interpretação dos sonhos*, Freud descreve esses modos de trabalho no que ele chama de trabalho do sonho: condensação, deslocamento, figuração. O sonho usa as lembranças da vigília como material. Ele oferece a ocasião de realizar um desejo inconsciente. Instala-se, assim, todo um sistema de circulação entre inconsciente e pré-consciente: o desejo vem do inconsciente. A censura é, acima de tudo, obra do eu, logo, do pré-consciente. O sonho constitui, então, uma das formas do retorno do recalcado, sendo, segundo a expressão de Freud, a via régia de acesso ao conhecimento do inconsciente. Se há retorno do recalcado, é porque houve previamente recalcamento. Numa observação atenta, constatamos que o sonho realiza, na verdade, os dois movimentos simultaneamente. Ele encontra saída para um desejo inconsciente, mas também garante o recalcamento de outro material: os pensamentos latentes. Colocar os pensamentos em latência consiste em manter em suspenso, durante o dia, determinadas ideias ou pensamentos que surgiram no período de vigília: trata-se de colocá-los provisoriamente em suspenso no pré-consciente, à espera de outro destino. Esses pensamentos latentes são, em seguida, integrados no sonho para formarem o seu conteúdo latente, isto é, a parte oculta do sonho.

No relato do sonho, aparece, na verdade, apenas o seu conteúdo manifesto. Assim, o sonho faz com que pensamentos passem do estado latente ao estado inconsciente. Sem o trabalho de interpretação, esse conteúdo é fadado a permanecer inconsciente e a ir se juntar ao inconsciente recalcado. Durante a noite, o sonhador transfere ideias que são incômodas para o eu do pré-consciente ao inconsciente. O sonho realiza, pois, uma operação de recalque, não é somente um retorno do recalcado. Esse recalque tem justamente a missão de *conservar* as ideias em questão. O recalque é conservador para o aparelho psíquico, mesmo em detrimento do sistema pré-consciente — consciente. Pode-se dizer, portanto, que o sonho, operação de recalque, é um meio de enriquecer o inconsciente.

Podemos indagar em que momento acontece geralmente o recalque na vida psíquica. Consideramos a hipótese de que, no estado de vigília, não há recalque, somente colocação em latência, e que o principal veículo do recalque[13] é justamente o sonho. Enriquecendo o inconsciente, ele amplia a memória

---

13 O recalque ao qual nos referimos nesta discussão é o recalque secundário. Este deve ser diferenciado do recalque primário articulado com a teoria da sedução, que será tratada na conclusão deste livro.

psíquica. Identificamos aqui a formulação, repetida várias vezes por Freud, de que a memória e a consciência são incompatíveis. Poderíamos contrapor a essa hipótese do momento do recalque a existência dos lapsos e dos atos falhos, que sugerem que o recalque acontece no mesmo momento do retorno do recalcado. Mas a ideia que retorna driblando a censura pode ter sido recalcada muito tempo antes, aproveitando-se apenas de um momento propício para retornar no ato falho.

A questão que, por lógica, decorre do que acaba de ser dito diz respeito à relação entre o sonho e a lembrança do sonho. Os psicossomatistas mostram que alguns indivíduos sonham apenas excepcionalmente, enquanto outros são grandes sonhadores. Aqueles que sonham pouco seriam caracteropatas[14] e os que sonham muito seriam neuróticos. Na verdade, essa distinção é um pouco simplificada e não diz nada sobre os psicóticos, entre os quais alguns sonham e outros não. O que acontece exatamente? Podemos considerar três possibilidades: indivíduos que sonham e se lembram de seus sonhos; indivíduos que sonham, mas não se lembram de ter sonhado; indivíduos que não sonham.

A categoria que mais suscita questões é a segunda. Para um psicanalista, todo material tem potencialmente um sentido, e é difícil admitir que lembrar ou não lembrar ter sonhado possa não ter nenhum significado.

Alguns biólogos abordaram a questão da lembrança dos sonhos[15]. Segundo eles, para lembrar um sonho, é preciso memorizá-lo, o que exige um período intermediário entre o sono paradoxal e a retomada de atividade em vigília em que o indivíduo está acordado. Esse intervalo de tempo pode ser efetivamente verificado no eletroencefalograma após uma fase de sono paradoxal. Enquanto Koulack[16] e seus colegas

---

14 Para a consulta da definição deste termo, ver nota de rodapé nº 1, capítulo IV deste volume.
15 D. R. Goodenough *et al.* "Repression, Interference and Field Dependance as Factors *in* Dream Forgetting", *J. Abnorm. Psychol.*, 83, 1974, p. 32-44.
16 D. Koulack. "Rapid Eye Movements and Visual Imagery During Sleep", *Psychol. Bull.*, 78, 1972, p. 155-158.

veem nesse intervalo somente o momento de memorização, nós vemos o momento da formação do sonho. Mesmo assim, não há contradição com a teoria deles. Segundo eles, um sonho é esquecido por não ter havido transferência da memória de curto prazo para a memória de longo prazo; eles descrevem as condições favoráveis a essa transferência, principalmente, o respeito desse estado de tranquilidade intermediária entre os dois regimes de ativação cortical (sono paradoxal e vigília de olhos abertos).

Entre memória de curto prazo e memória de longo prazo, portanto, há transferência e *estabilização*. Sem essa estabilização, o esquecimento do sonho corresponde ao seu apagamento puro e simples. Em contrapartida, uma vez estabilizado, o sonho é esquecido, em regra, algumas horas depois, pois é um grupo de representações que entra em rivalidade com os grupos de representação pré-conscientes[17]. Porém, a organização deles difere, e pode-se postular que o conteúdo onírico seja incômodo para o eu por causa do que ele contém, diante de uma censura agora despertada. Assim, esse conteúdo destina-se à latência e, posteriormente, ao recalque. O recalque dos sonhos corresponde à mesma lógica do recalque pelo sonho, de modo que, no trabalho psicanalítico, não é raro que o trabalho sobre um sonho traga à tona elementos de sonhos "esquecidos" da antevéspera.

Inversamente, um sonho pode voltar à memória ao longo do dia, já quando o acreditávamos perdido: é porque foi armazenado, transferido para a memória de longo prazo e estabilizado. O encontro, durante a vigília seguinte, com uma percepção que reatualiza um *pensamento* do sonho recria a associação e a evocação dele. As sessões analíticas oferecem exemplos disso: na ausência de recalque dos pensamentos do sonho, durante a vigília, o eu despertado pode encontrar um compromisso aceitável graças à "elaboração secundária".

---

[17] S. Freud. "Conception psychanalytique des troubles visuels d'origine psychique", 1910.

Isso confere ao sonho lembrado uma função organizadora fundamental de estabilização que está ausente no sonho não rememorado!

Do ponto de vista da economia psicossomática, portanto, a memorização do sonho não é equivalente à sua não memorização. Somente o sonho memorizado demonstra uma obra de organização e de ampliação do inconsciente recalcado. E os indivíduos que não se lembram de ter sonhado são, na verdade, para os psicossomatistas, como os que não sonham.

Isso tem uma grande importância, pois, não raro, os pacientes começam a sonhar durante uma análise, demonstrando, assim, o início de um processo de organização psíquica que convém identificar e avaliar. Observa-se isso tanto com os caracteropatas quanto com os psicóticos. Pode-se até mesmo considerar que as fases mais fecundas de uma análise, quanto à elaboração, correspondem a períodos de sonhos.

Assim, o sonho não é apenas testemunho do inconsciente. É também seu construtor. Não é somente um material sobre o qual o analista trabalha, mas também um processo pelo qual o sujeito evolui. Repetindo, o sonho revela-se um processo único que ocupa talvez o lugar mais fundamental, na acepção própria da palavra, dentro da psicanálise.

Nessa perspectiva, temos boas razões para ver no sonho um processo que remaneja efetivamente as relações da angústia com a memória: *pelo recalque, o sonho constrói memória* (no sentido psicanalítico do termo, isto é, enriquecendo o inconsciente secundário, memória inconsciente). *O sonho, ao criar novas cadeias associativas, trata a angústia ligando a excitação.*

Será fácil compreender, se levarmos mais adiante as implicações dessas observações, por que o sonho se situa no cerne do processo de cura.

Antes de prosseguirmos, é preciso destacar um detalhe necessário para o que será desenvolvido daqui em diante:

sobre o que incide o recalque? No sonho, são ideias ou pensamentos latentes que são recalcados. Porém, na obra de Freud, reina certa ambiguidade quanto ao alvo do recalque. Trata-se ora do afeto, ora da pulsão, ora da representação. Em nosso modo de ver, o recalque incide *sobre o laço* que une duas representações — sobre a própria ligação —, ou seja, *sobre o pensamento*. O pensamento (ou a ideia), com sua rapidez, seu surgimento inesperado, é justamente capaz de relacionar duas representações, produzindo, assim, um deslizamento do investimento da primeira representação para a segunda e, eventualmente, para as seguintes. Dessa variação na intensidade do investimento nasce o afeto, como destaca Michel Fain. O pensamento (ou a ideia), portanto, é capaz de desencadear o afeto. A ideia-associação faz a ligação entre as representações e não permanece fixada de forma exclusiva e estável nem a uma nem à outra. É para evitar o afeto, quando ele é desagradável ou perigoso para o eu, que a ideia ou o pensamento é posto em latência e, depois, recalcado. Por isso, na ausência da ideia que foi recalcada, a representação permanece protegida de sua evocação, e o afeto não pode surgir, nem pôr o eu em perigo. Uma vez recalcado o pensamento, podemos ser induzidos a acreditar que, como a representação não foi evocada por via associativa e como o afeto não se manifestou, um ou o outro, ou ambos foram recalcados. Trata-se apenas de um efeito de óptica.

Por fim, existem associações de ideias que são feitas de palavras (no processo secundário) ou de coisas (no processo primário). No pré-consciente, a ideia associa a palavra à coisa; no inconsciente, haveria somente ideias e pensamentos sem palavras circulando livremente. Em nosso entender, são esses pensamentos não verbais que merecem a qualificação de representação de coisa.

É com base nisso que veremos agora as alternativas ao recalque para as ideias ou os pensamentos que o eu não consegue pensar.

## O sonho fracassa

A fim de prosseguirmos nesta investigação sobre o sonho, vamos nos deter numa síndrome que nos interessa especialmente porque diz respeito à patologia do sono e do sonho. Trata-se da síndrome de Gélineau, que introduz bastante bem, talvez, essa hipótese da função recalcadora e organizadora do sonho, permitindo também abrir a discussão sobre as *consequências* psicossomáticas do fracasso da função onírica.

Os neurofisiologistas que trabalham sobre o sono têm se interessado há muito pela síndrome de Gélineau. André Bourguignon publicou um estudo interessante sobre as relações entre o sonho, a narcolepsia e a epilepsia[18]. Lembremos que os principais sinais de narcolepsia ou síndrome de Gélineau resumem-se em três critérios conhecidos sob a denominação de tríade de Rechtschaffen: acessos incontroláveis de sono em pleno dia, cataplexia e adormecimento em sono paradoxal.

O *acesso de sono* de dia pode ser desencadeado por fatores emocionais ou então por "distrações" da "atividade que consiste em esforço para permanecer acordado". Portanto, o ataque de narcolepsia parece poder ser uma reação à ativação de traços mnésicos por estímulos que provêm do exterior ou do interior (emoção ou fantasia). Os acessos de narcolepsia duram, em média, quinze minutos, e o sujeito sai deles repousado. Com frequência, um sonho é relatado depois desse sono, durante o qual se verifica, pelo eletroencefalograma, um ritmo de sono paradoxal. Durante o acesso de narcolepsia, o tônus muscular é paralisado por inibição do reflexo miotático.

O *acesso cataplético* pode consistir numa simples queda da cabeça ou chegar à queda total do corpo. É acompanhado por uma diplopia horizontal que dura de alguns segundos a trinta minutos, e ele parece desencadeado de forma reflexa

---

18 A. Bourguignon. "Propos sur le rêve, la cataplexie et l'épilepsie: voie motrice et voie psychique", *L'évolution psychiatrique*, 36, 1971, p. 1-11.

por um estímulo emocional. Os acessos podem se suceder sem período refratário e levam a um estado de mal cataplético. O eletroencefalograma mostra, neste caso, um traçado de vigília. É a expressão dissociada de uma fase de movimentos oculares rápidos (sono paradoxal). Às vezes, nesses acessos, há alucinações hipnagógicas.

Por fim, o *adormecimento*, fora dos ataques de narcolepsia, começa, no eletroencefalograma, por um traçado de sono paradoxal, sinal patognomônico da doença.

Paralelamente a essa tríade, podemos observar uma paralisia do despertar, alucinações hipnagógicas isoladas, um tipo de produção onírica dissociada do contexto protetor que a fase completa dos movimentos oculares rápidos realiza. As alucinações são auditivas, somestésicas e, às vezes, visuais. A sonolência diurna perturba quase todos os narcolépticos, inclusive em sua vida profissional, às vezes de forma trágica. Inversamente, a noite é penosa devido à insônia. O sono é eletricamente anormal, apresentando estágios I e II, mas muito raramente, ou mesmo nunca, sono profundo (estágio IV). Alguns narcolépticos estão sujeitos também a "condutas automáticas" que consistem em estados secundários com duração de até várias horas, acompanhados por atividades que não são controladas nem memorizadas.

A doença começa geralmente entre os dez e vinte anos de idade e pode regredir na terceira idade.

*Do ponto de vista psicossomático*, a síndrome de Gélineau caracteriza-se por dupla dessincronização. Há uma desarticulação entre os sistemas responsáveis pelo despertar, pelo sono e pelo sono paradoxal, e podemos observar expressões dissociadas desses três estados de ativação. Mas há também uma dissociação dos elementos constitutivos do sono paradoxal, uma vez que podem surgir alucinações hipnagógicas, movimentos oculares rápidos e paralisias do tônus muscular, separados uns dos outros. Pode-se indagar se o narcoléptico é um bom sonhador. Clinicamente, constata-se com frequência uma lembrança vaga de imagens, mas os relatos de sonho não são tão frequentes quanto se poderia pensar. Em compensação, de acordo com nossa experiência e aquela de outros autores[19], os relatos oníricos se enriquecem ao longo do tratamento psicanalítico. Podemos aventar a hipótese de que o narcoléptico é, pelo menos, um bom produtor de sono paradoxal, mas não necessariamente um bom sonhador, o que não é de surpreender se considerarmos o que foi exposto anteriormente. De toda maneira, uma produção onírica pode seguir os ataques narcolépticos. Isso sugere a Vogel que as representações e as fantasias recusadas no sistema consciente desencadeiam um ataque de sono diurno e significariam um prolongamento do recuo e da dissociação. O sono daria ao narcoléptico a possibilidade de uma regressão inacessível por outros meios e, ao mesmo tempo, uma oportunidade de satisfação alucinatória. Vogel propõe: "Os sujeitos normais sonham para protegerem seu sono, os narcolépticos dormem para sonhar"[20]. Trata-se de uma formulação semelhante a "comer para viver ou viver para comer".

Se o sono paradoxal é o momento de recorrência dos comportamentos inatos, a síndrome de Gélineau marcaria um reforço mais frequente dos comportamentos inatos, como se a integração deles fosse difícil no plano do sistema pré-consciente — consciente, sobretudo em sua expressão fantasmática. Em resposta a estimulações desses comportamentos arcaicos, o narcoléptico poderia desencadear sua atualização na realidade. Pelo menos é o que sugerem os comportamentos automáticos, que são espécies de crises psicomotoras e passagens ao ato. D. Roche e seus colegas descrevem um paciente "que fez duas tentativas de eliminar sua mulher durante episódios que, embora automáticos,

---

19 A. Missriegler, resumido em B. Krapman. "On the Psychogenesis of Narcolepsy. Report of a Case Cured by Psychoanalysis", *J. Nerv. Ment. Dis.*, 93, 1941, p. 141-162; G. Vogel. "Studies in Psychophysiology of Dreams", *Arch. Gen. Psychiatry*, 3, 1960, p. 421-428.
20 G. Vogel. "Studies in Psychophysiology of Dreams", artigo citado anteriormente, p. 427.

não eram desprovidos de motivação"[21]. O ataque de narcolepsia, nessa perspectiva, corresponderia a um compromisso entre uma moção pulsional e sua proibição. Poderíamos, então, considerá-lo um sintoma no sentido psicanalítico de compromisso entre desejo e interdito, a exemplo de uma conversão histérica, por exemplo? Na verdade, a narcolepsia não está inscrita na continuidade simbólica. Além disso, ela tem caráter estereotipado e se mostra capaz de ser convocada para muitos usos, em resposta a estimulações muito variadas. No entanto, a narcolepsia não é da mesma ordem da conversão histérica. Ela é uma somatização. Uma somatização que afeta o funcionamento do sistema nervoso central e não o sistema nervoso periférico. Uma somatização que, na luta contra a atualização dos comportamentos inatos e as passagens ao ato, também se aproxima dos processos psicóticos, como sugerem Broch e Wiesel no relato do caso de um narcoléptico que descompensou de um modo claramente psicótico[22].

### SONHO, SÍNDROME DE GÉLINEAU E EPILEPSIA

Enquanto o biólogo e o neurologista veem principalmente uma competição entre diversos sistemas de controle da atividade cerebral (sistema do estado desperto, sistema do sono e sistema paradoxal), o psicanalista se interessa, sobretudo, pelo destino reservado às formações do inconsciente na síndrome de Gélineau. O papel da realidade externa e das percepções parece muito menos importante nessa afecção do que nas crises de epilepsia, como veremos. Com base em nossas observações e no estudo da literatura psicanalítica acerca desse tema, parece mesmo que o ataque de narcolepsia é desencadeado como resposta a algo que vem do interior do sujeito e não do exterior. É quando surge uma *ideia*,

---

21 D. Roche, B. Blonlac, J.-C. Vincent. "La narcolepsie", *Confrontations psychiatriques*, 15, 1977, p. 173-192.
22 S. Broch, B. Wiesel. "The Narcoleptic-Cataplectic Syndrom", *J. Nerv. Ment. Dis.*, 94, 1941, p. 759-764.

um pensamento inaceitável para o eu, que o sujeito cai no ataque narcoléptico. O desencadeamento de uma fase paradoxal e a perda de consciência concomitante são seguidos, eventualmente, por um sonho em que a ideia intolerável talvez encontre um destino onírico. Tudo se passa *como se a colocação em latência fosse impossível para o narcoléptico.* A ideia a recalcar deve sê-lo imediatamente e, para isso, requer um sonho não menos imediato. O narcoléptico dorme para sonhar ao invés de sonhar para continuar dormindo. Logo, o sonho trabalha mais a serviço do eu desperto que do eu adormecido. Esse extravio insólito da atividade onírica indica a inaptidão do pré-consciente em manter em latência os pensamentos.

Paralelamente aos ataques de narcolepsia, os ataques de cataplexia estão indubitavelmente associados a impulsos de agressão que são abruptamente interrompidos pela paralisia motora. Nessa reação, encontramos alguma coisa em comum com muitas somatizações da violência. É o caso da hipertensão arterial idiopática, da asma e da epilepsia. Um de nossos pacientes era acometido alternadamente pela síndrome de Gélineau, por asma e por hipertensão arterial em função dos tratamentos prescritos. Já a epilepsia está muito próxima do ataque cataplético, como atestam as formas de passagem que as condutas automáticas representam (*cf.* acima).

No entanto, a existência da narcolepsia ao lado da cataplexia atesta que a descarga motora epiléptica, ou sua inibição na cataplexia, não é o único exutório econômico e que ela possui, além disso, um valor funcional para o recalque e o sonho. Nesse sentido, o mal de Gélineau se insere na nosografia psicossomática numa posição intermediária entre o funcionamento neurótico mentalizado e a epilepsia.

Enquanto a narcolepsia visa acima de tudo ao pensamento, às produções ideativas e às associações mentais, a cataplexia, por outro lado, aparenta-se clinicamente, e até mesmo eletricamente, à epilepsia. Nesta, a somatização visa não mais à *ideia*, mas à própria *percepção*, isto é, à retomada consciente de uma sensação provocada pelo encontro com uma situação externa. Todos os autores concordam em atribuir ao encontro perceptivo um papel importante no desencadeamento da crise epiléptica[23]. Ora, é fundamental avaliar esse aspecto em sua significação metapsicológica, na medida em que ele relativiza muito a noção de estrutura mental específica do epiléptico. Muitos argumentos, de fato, opõem-se à noção de estrutura epiléptica, a despeito dos trabalhos de Minkowska[24] e de Kretschmer[25]. Em todo caso, não podemos opor, como no caso das doenças somáticas crônicas, a epilepsia à neurose ou à psicose. Muitos psicóticos convulsionam, muitos epiléticos são psicóticos, e mesmo todo neurótico pode ter uma crise generalizada em determinadas condições ambientais. Ajuriaguerra também revê suas primeiras conclusões relativas às "mentalidades epilépticas"[26]. Por fim, Kardiner e os anglo-saxônicos têm rejeitado completamente hoje a tese da constituição epiléptica, insistindo mais nos fatores ambientais.

As três características mais significativas da epilepsia são talvez as seguintes: a epilepsia leva a uma descarga motora; a crise alcança o apagamento de uma percepção (amnésia); a crise ocorre em resposta à estimulação do potencial de violência não representado.

Resta considerar que, na ausência de um terreno ou de uma estrutura específica da epilepsia, esse distúrbio epiléptico indica mesmo assim um modo reacional muito peculiar, embora seja ocasional. Se a epilepsia não é uma

23 S. Consoli. "Relation spéculaire et comitialité", *L'Évolution psychiatrique*, 42, 1977, p. 63-71; C. Guedeney, D. Kipman. "Contribution psychiatrique et psychanalytique àl'étude des premières manifestations de l'épilepsie essentielle chez l'enfant", in R. Bouchard *et al. L'Épilepsie essentielle de l'enfant*, Paris, PUF, 1975, p. 75-152; E. Kretschmer, W. Enke. *Die Persönlichkeit der Athletiker*, Leipzig, Thieme, 1936.
24 F. Minkowska. "La constitution épileptoïde et le trouble générateur de l'épilepsie essentielle", *L'évolution psychiatrique*, 5, 1932, p. 69-79.
25 E. Kretschmer, W. Enke. *Die Persönlichkeit der Athletiker, op. cit.*
26 J. de Ajuriaguerra, R. Diatkine, J. Garcia-Badaracco. "Psychanalyse et neurobiologie", *Psychanalyse aujourd'hui*, 2, 1956, p. 437-498.

doença, podemos considerar a crise como um sintoma (no sentido psicanalítico)? É certamente para essa direção que aponta a opinião de Freud, que considera a epilepsia como um sintoma muito próximo da conversão e da histeria. No entanto, como destacam Bouchard e seus colegas[27], a crise histérica é sempre inconscientemente destinada a outrem, ao passo que, na crise convulsiva, há uma ruptura da relação na descarga egocêntrica e cega.

Em nossa opinião, tendo em conta todas essas observações, a crise epiléptica não é uma doença, mas também não é um sintoma: ela é *uma reação aguda*, uma somatização brutal que culmina na descarga motora e no apagamento do traço mnésico. A reação epiléptica não é uma construção como o sintoma. É antes uma *desconstrução* e uma desintricação, como diz Freud[28].

Ao que tudo indica, a crise é desencadeada pelo encontro súbito com uma realidade perceptível que não pode ser atendida pelo pré-consciente. Isso supõe que a percepção em questão não pode ser suprida e que ela atinge diretamente a zona sensível do Ics não recalcado. Essa zona encoberta, até então, por uma recusa de percepção é, de certa forma, diretamente ativada pelo encontro com a realidade que violou a barreira da recusa. Essa situação não é própria da epilepsia. Ela domina todas as crises somáticas. O próprio da epilepsia é o apagamento do traço mnésico da percepção e a descarga da excitação traumática na musculatura estriada e não nas vísceras (pelo menos na crise dita de grande mal ou tônico-clônica generalizada).

Nesse sentido, a crise epiléptica indica uma associação entre a percepção e a motricidade que protege o corpo visceral. Além disso, a crise geralmente não tem consequência neurológica duradoura, o que situa a epilepsia numa posição um pouco à parte dentre as somatizações, como assinala T. Neyraut-Suttermann, que vê nessa afecção a chave da

---

27 R. Bouchard *et al. L'épilepsie essentielle de l'enfant*, Paris, PUF, 1975.
28 *Id., ibid.*, p. 140 e 142.

psicossomática[29]. A epilepsia seria para a psicossomática o que a histeria é para a psicanálise das neuroses. O fato é que, por esse acometimento muito peculiar da percepção, a epilepsia se distingue claramente tanto da neurose quanto da psicose. Na neurose, o objeto do ataque é a representação e não a percepção. Na psicose, em compensação, a percepção recusada é também rejeitada ou forcluída; ela é certamente excluída da tópica, mas não é apagada. Somente a epilepsia e, depois dela, as outras doenças somáticas atacam aquém do representado, no plano do percebido. As outras doenças somáticas atacam até mesmo antes da percepção e procedem por repressão (*Unterdrückung*). A epilepsia preservaria, ao menos por um instante, a percepção e a apagaria, num segundo tempo, o que a torna menos inacessível do que nas outras somatizações. Essa peculiaridade da epilepsia leva a identificá-la, às vezes, até mesmo como um progresso no curso de uma doença somática, na medida em que ela testemunha um afrouxamento da recusa e uma aproximação da percepção até então recusada. A ocorrência de crises epilépticas, em certos pacientes com grave acometimento somático e mental, é tida, às vezes, como uma porta que se abre para o processo de simbolização[30]. A objeção a essa tese da função de apagamento da percepção pela crise epiléptica poderia ser a ocorrência de crises noturnas. A crise noturna poderia ser encarregada de apagar a percepção do conteúdo formal do sonho. De fato, constata-se justamente que a crise noturna se manifesta, em geral, após um estágio de sono paradoxal[31].

A crise epiléptica pode, portanto, abrir caminho para o apagamento das percepções e estar a serviço da recusa, mas

29 T. Neyraut-Sutterman. *À propos de la psychanalyse d'un cas d'épilepsie. Mémoire de candidature à la Société Psychanalytique de Paris*, 1977.
30 C. Dejours. "Symbolizing somatizations", *in* A. Krakowski, C. Kimball. *Psychosomatic medecine. Theoretical, clinical and transcultural aspects*, New York, Plenum Publishing Corporation, 1983, p. 439-446.
31 J. Brancart, M. Talairach, M. Brodas-Ferres, J.-L.Aubert, H. Marchand. "Les crises épileptiques au cours du sommeil de la nuit", *Le sommeil de nuit normal et pathologique*, Paris, Masson, 1965, p. 255-274.

também pode originar um processo de simbolização. Uma ou outra saída da crise parece depender estreitamente da resposta que lhe é dada pelo entorno. A psicoterapia poderia privilegiar, nesse sentido, o uso da epilepsia em proveito da simbolização e não da recusa. Na verdade, a epilepsia também pode se pôr a serviço não só da recusa, mas igualmente intervir na economia da psicose. Ao apagar a percepção, a crise evita a forclusão psicótica e o seu retorno sob forma alucinatória. A epilepsia se apresenta, assim, como luta contra a vivência psicótica. Nesse aspecto, a epilepsia é uma confluência fundamental entre as diferentes modalidades de defesa contra percepções intoleráveis para o eu.

A partir dessas considerações, podemos propor uma série psicopatológica: diante de uma percepção incômoda para o eu, o neurótico põe em latência as ideias e as associações que essa percepção desperta nele. Durante a noite, a percepção servirá de resto diurno para encenar pensamentos que o sonho se encarrega de recalcar em proveito do inconsciente dinâmico. A narcolepsia é um uso excessivo do sonho em prol do recalque que não pode se efetuar normalmente durante o sonho noturno, pela falta de capacidade do sujeito de pôr em latência os pensamentos.

A narcolepsia indica, portanto, uma falha do pré-consciente, mas mostra a aptidão ao recalque. A crise epiléptica, em contrapartida, ao apagar a percepção, entra em concorrência com o sonho e substitui o recalque que não ocorrerá. A percepção é perdida para o inconsciente e para o trabalho de constituição da representação. As doenças somáticas crônicas, por sua vez, funcionam pela repressão aquém da representação e da própria percepção e marcam uma perda mais grave para o inconsciente e para a história do sujeito. Por fim, para terminar essa série, é preciso reservar um lugar para a passagem ao ato. É a resposta não mediada dada a uma percepção intolerável e traumática, por uma ação na realidade que visa à destruição direta do objeto da própria percepção.

O sonho, o ataque de narcolepsia, a crise epiléptica, a alucinação e a passagem ao ato são modalidades reacionais destinadas a responder isoladamente a uma percepção dolorosa para o eu e se apresentam mais como reações de defesa do que como estruturas.

## Entre sonho e orgasmo: o corpo erótico e a sexualidade psíquica

O estudo do sonho, de suas formas patológicas e de sua possível ausência total em certos pacientes (psicóticos ou caracteropatas), leva a conferir à vida onírica uma função crucial nos processos dinâmicos, tópicos e econômicos. Ademais, o sonho parece ser o artesão fundamental da saúde. Ele não é somente a via régia de acesso ao conhecimento do inconsciente, mas também uma função organizadora deste e da estruturação do aparelho psíquico. Isso nos leva a postular que o sonho sempre tem um poder terapêutico. Podemos até mesmo vê-lo como um meio prodigioso de cura no cotidiano. Qualquer ocorrência de sonho durante uma psicoterapia ou psicanálise deve ser considerada não só pelo material psíquico que o sonho traz ao psicanalista, mas também por testemunhar uma atividade psíquica em movimento e estruturante para o sujeito. O sonho é o meio de evolução psíquica.

Ao fim desse périplo sobre as relações entre o funcionamento psíquico e a ordem biológica, não podemos ignorar um aspecto insólito da vida sexual em relação com o trabalho do sonho, a saber, as relações sexuais em si mesmas e o orgasmo em particular. Na verdade, *o que é o orgasmo senão uma somatização exemplar da excitação?* A partir de um desejo erótico dirigido ao objeto de amor, ou seja, a partir do ponto organizador do funcionamento psíquico, a relação sexual leva a uma descarga que não se esgota na esfera da motricidade voluntária, mas sim na esfera visceral que envolve a musculatura lisa, as regulações endócrinas e o sistema cardiovascular! Tem-se aqui um paradoxo surpreendente para o psicossomatista. A perspectiva da economia erótica não seria, no fim das contas, somatizar? Antes de concluir, isso nos dá, ao menos, uma prova de que as somatizações nem sempre são nefastas para a economia do organismo (é o caso de muitas somatizações). De fato, podemos considerar o orgasmo como o ponto de finalização de um processo mental bastante longo, repleto de obstáculos, que, aliás, com frequência, não se completa no neurótico que sofre de impotência ou frigidez. Para abordar essa questão, poderíamos primeiramente nos deter nas formas patológicas da sexualidade. Da sexualidade, não do orgasmo. A diferença é importante, pois, se existem sexualidades patológicas, estas não implicam a ausência de orgasmo, e podemos postular inversamente — o que é, no mínimo, paradoxal — que existem sexualidades não patológicas sem orgasmo. Há, pois, uma independência relativa entre orgasmo e sexualidade. Aliás, se analisarmos bem, a psicanálise fala pouco do orgasmo, com exceção do que Reich escreveu. Ela se interessa mais por aquilo que impede o orgasmo em certos neuróticos. O orgasmo, na verdade, parece provir de uma montagem fisiológica reflexa que já não precisa mais de qualquer aporte mental para se manifestar. Quando o orgasmo é impossível, ou é porque existe uma lesão orgânica (de origem vascular, nervosa ou endócrina), e isso quase não pertence à investigação psicanalítica (mas talvez pertença à investigação psicossomática), ou o orgasmo é impossível por razões psíquicas, sem substrato somático detectável, e então a sexualidade psíquica se situa como obstáculo à descarga orgástica.

A sexualidade do neurótico é mais complicada porque passa pela formação de um corpo erótico, bem diferente do corpo biológico[32]. Esse corpo erótico é o resultado de uma série de apoios graças aos quais a sexualidade psíquica, desenvolvida mais de dez anos antes da maturidade gonadal,

---

32 C. Dejours. "Avant-propos", *in* M. Fain, C. Dejours. *Corps malade et corps érotique*, Paris, Masson, 1984, p. 7-14.

investe sucessivamente os diferentes órgãos do corpo que marcam o limite entre o próprio corpo e o exterior: pele, boca, ânus, órgãos dos sentidos. Ao mesmo tempo em que o corpo é assim transformado no contato com a sexualidade psíquica, a própria sexualidade se transforma, toma uma cor, personaliza-se e erotiza-se. Esse apoio não visa tanto à constituição da sexualidade enquanto tal, pois esta é mais herdeira das relações com os pais[33], da curiosidade da criança em relação ao que os pais fazem juntos na sua ausência, do interesse dela pela cena primitiva, das respostas e dos não ditos dos pais quanto à sua própria sexualidade e das teorias sexuais que a criança elabora sobre essas bases. Esse apoio visa mais ao corpo, à sua transformação, ao seu uso, digamos, o "segundo uso" do corpo: o corpo do desejo, o corpo do prazer, o corpo erógeno, que reveste o corpo funcional da assimilação e da eliminação, o corpo da homeostase.

No entanto, esse apoio não é necessariamente exitoso em todas as suas etapas. Neste caso, os programas endócrino e comportamental se atualizam na puberdade, independentemente da sexualidade psíquica inacabada. O corpo dessa sexualidade, ritmado apenas pelos ciclos endocrinometabólicos, não deixa de funcionar corretamente, embora seja de forma compulsiva e automática.

Inversamente, quando é evoluída, a sexualidade psíquica subverte essa sexualidade automática, e o corpo erótico vem revestir o corpo visceral, com maior ou menor êxito, como mostra toda patologia psiconeurótica. De fato, o contrainvestimento da sexualidade visceral pela sexualidade psíquica é delicado, e a intricação nem sempre é sólida. O neurótico, que de certa forma toma o partido do corpo erótico contra o jogo automático do seu corpo visceral ou, melhor dizendo, que decidiu deixar esse corpo visceral se expressar somente em proveito do corpo erótico, encontra-se muitas vezes em dificuldade, devido à contradição inter-

---

33 R. Dorey. "Le lien d'engendrement", *Nouvelle Revue de Psychanalyse*, 28, 1983, p. 209-228.

minável entre as forças instintuais e a vida pulsional. A sexualidade neurótica, mesmo quando não leva ao orgasmo, liberta o sujeito dos ritmos biológicos naturais sem, contudo, suprimi-los. Mas o curso do desejo e da relação com o objeto impõe seu ritmo que certamente não é o mesmo da sexualidade visceral.

Contrariamente ao que alguns acreditam, a incrível independência do homem em relação à sua sexualidade endócrina, que não só faz com que possa resistir às pressões instintuais, mas também, inversamente, autoriza-o a ter relações sexuais e orgasmos fora da fecundidade, até a velhice, não é um sinal de "degenerescência" ou de ruptura com as raízes naturais do Homem. Ao contrário, ela marca antes uma domesticação do corpo sob o primado do erotismo que leva a um enriquecimento considerável da vida sexual em relação à sexualidade animal.

Qual é, então, o lugar do orgasmo na sexualidade psíquica? Não passaria de um resíduo acessório da sexualidade animal a ser sempre combatido para alguns, como na vida monástica? Ou, ao contrário, numa abordagem estritamente higiênica, a ser tolerado pelo relaxamento proporcionado? O fato de o orgasmo ser mesmo uma potencialidade altamente orgânica não supõe, contudo, que seja desprovido de valor funcional para a sexualidade psíquica e para o funcionamento mental, apesar do seu valor funcional para a economia do corpo fisiológico.

Com efeito, quando o orgasmo completa um ato sexual efetivamente sustentado por uma relação objetal, ele supõe a realização de um ciclo que, tendo partido da vida mental, esgota-se num reflexo neurovegetativo. Logo, é evidente que toda a economia psicossomática está envolvida no ato sexual. Para simplificar, podemos dizer que, na origem do ato sexual, há uma montagem fantasmática, representações mentais, pensamentos e ideias que, diferentemente do que acontece no sonho, não são postos em latência e depois recalcados, mas são postos em latência e depois sofrem uma regressão que não é formal, mas tópica, na direção da sensório-motricidade, até se dissipar no orgasmo.

O orgasmo, portanto, está exatamente no polo oposto ao do sonho. Quando o trabalho do sonho opera por um recalcamento conservador, o orgasmo opera pela dissolução do pensamento latente em excitação.

A partir daí, é fácil conceber que esse processo seja vivido perigosamente pelo sujeito, cujo corpo erótico não é suficientemente estável, isto é, seus apoios são frágeis. Com o orgasmo, há o risco de uma desconstrução da sexualidade psíquica que o eu teme ver ir pelos ares. A angústia torna-se então o resultado do ato sexual que o sujeito tenta evitar, tornando-se justamente inapto ao orgasmo, impotente, frígido ou abstinente.

De fato, trata-se de um risco para o neurótico, risco que ele assume, enquanto aquele que cliva sua sexualidade de suas relações objetais não assume nenhum risco. Com certeza, o que Freud[34] descreve da vida amorosa de muitos homens acerca da clivagem do objeto sexual é um "arranjo" com a sexualidade psíquica que a protege contra os impactos e os riscos que uma desconstrução da vida objetal representa para o eu.

Essas considerações levam a conceber uma verdadeira alternância entre o sonho e o orgasmo. O ato sexual orgástico seria, de certa forma, uma desconstrução ou, pelo menos, um procedimento inverso àquele do sonho que se alternaria periodicamente com ele. *Poderíamos até nos perguntar legitimamente se toda a vida psíquica não evolui entre esses dois polos:* um polo de construção do inconsciente recalcado (pelo sonho) e o outro de desconstrução (pelo orgasmo). Nessa perspectiva, o orgasmo viria remanejar os resultados do trabalho do sonho, assim como o sonho viria retomar o sujeito no ponto em que ele se encontra após a desconstrução efetuada pelo ato sexual orgástico. O corpo como lugar do desejo erótico e como lugar da excitação se-

---

34 S. Freud. "D'un type particulier de choix objectal chez l'Homme" (1910).

xual seria, assim, objeto dos remanejamentos alternativos do sonho e do orgasmo.

Essa perspectiva sobre a economia psicossomática e, em certa medida, sobre a saúde — se isso tem um sentido — sugere que a renúncia às relações sexuais talvez não seja sinal de um funcionamento mental especialmente flexível. Indicaria antes uma falta de estabilidade ou, pelo menos, certa rigidez do funcionamento psíquico que não ousa se submeter à prova do prazer do corpo, por medo de perder-se nele e ameaçar, assim, o equilíbrio psíquico e a coesão do eu.

De todo modo, o orgasmo considerado isoladamente não tem nenhum significado psicopatológico. É o que sugere certa reserva tanto em relação à concepção médica da sexualidade quanto em relação àquela do comportamentalismo e da sexologia. O orgasmo é possível na clivagem, à distância da sexualidade psíquica, como na maior parte dos perversos, e pode ser sinal de uma organização mental patológica. A abstinência, mesmo sem impotência orgástica, pode igualmente indicar uma organização mental patológica. É somente a concordância da sexualidade psíquica com o ato sexual orgástico que marca uma organização mental estável e uma flexibilidade dos investimentos objetais, evoluindo periodicamente entre a construção onírica e a desconstrução orgástica.

CAPÍTULO IV

# A terceira tópica

## Os modelos tópicos na teoria de Freud

Freud insiste em que, para dar conta dos fenômenos psíquicos, é necessário decifrá-los em três níveis: dinâmico, tópico e econômico. O nível dinâmico, isto é, aquele que permite decifrar o discurso do paciente em termos de conflitos psíquicos, é o nível ao qual dá acesso o neurótico que faz uma psicanálise. Os psicanalistas que se interessaram, depois de Freud, pelos pacientes que não evoluem estritamente no registro da neurose, ou seja, psicóticos e caracteropatas[1], insistem

---

1   *Caracterose*: foi principalmente Pierre Marty que destacou as características estruturais de pacientes que sofrem de doenças somáticas. Ele recorreu ao quadro nosológico das neuroses de caráter e de comportamento para descrever os traços mais salientes do funcionamento mental desses pacientes. Trata-se de uma realidade indubitável, mas duas razões nos levam a renunciar a essa referência nosológica. A primeira razão é o fato de que muitos clínicos se sentem desorientados com essa denominação um pouco paradoxal que visa justamente a elevar o "corte psíquico" a uma característica desses pacientes, opondo-os assim radicalmente aos neuróticos, cujo funcionamento psíquico é considerado sólido. Portanto, não sendo neuróticos, é melhor encontrar uma denominação que exclua qualquer confusão. A segunda razão é o fato de que, a nosso ver, não existe diferença estrutural fundamental entre neurose de caráter e neurose de comportamento. Trata-se antes de uma grande linhagem estrutural, não havendo necessidade de manter duas denominações distin-

na dificuldade, ou mesmo na impossibilidade, de proceder à interpretação do discurso desses pacientes em termos de conflito, porque a dimensão conflitual é descontínua ou ausente, de certa forma rompida pelas falhas do funcionamento psíquico.

Depois de Pierre Marty, os psicossomatistas pensam que, nas caracteroses, é preciso renunciar muitas vezes à análise dinâmica dos conflitos, mas que se pode seguir e decifrar o discurso desses pacientes referindo-se ao ponto de vista econômico[2]. Trabalhar no plano econômico é privilegiar, no tratamento, a identificação dos transbordamentos do paciente pela excitação anárquica não canalizada nos conflitos, porque estes estão ausentes; é dar prioridade às intervenções que protegem desse transbordamento, situando-se no registro de uma relação para-excitação. Para-excitação, aqui, tomada no sentido amplo de associação de intervenções que, por um lado, visem à evacuação não traumática do excesso de excitação pela proposta de representações feita pelo analista ao paciente que, sozinho, não consegue produzi-las e, por outro lado, de intervenções que estimulem, ao contrário, zonas potencialmente ativas da vida psíquica e insuficientemente aproveitadas pelo paciente quando ele está sozinho. A fórmula mais ilustrativa desse método de trabalho é fornecida pelos tratamentos de regressão de Margolin[3]. Sua inspiração pode ser encontrada num trabalho de R. Herzberg[4] e em certos tratamentos de relaxamento[5].

---

tas. Por isso, propomos um termo único: as *caracteroses*, cujas características mentais serão, neste livro, diferenciadas das psicoses e das neuroses. De agora em diante, falaremos somente de *caracterose* para designar tanto as "neuroses de caráter" quanto as "neuroses de comportamento", e de caracteropatas para designar os pacientes portadores dessas estruturas.

2   P. Marty. *Mouvements individuels de vie et de mort*, Paris, Payot, 1976.
3   S. G. Margolin. "La signification du terme de 'psychogénèse' dans les symptômes organiques", *L'évolution psychiatrique*, 18, 1953, p. 371-386.
4   R. Herzberg-Poloniecka. "Périple en psychosomatique à la lumière des symptômes", *in* M. Fain, C. Dejours. *Corps malade et corps érotique*, Paris, Masson, 1984, p. 88-100.
5   G. de M'Uzan. "Différentes modalités d'interprétation dans la cure de relaxation en psychosomatique", 1984, p. 77-87.

As falhas econômicas levam certos analistas a renunciar às interpretações clássicas que visam ao material representado e simbolizado para não arriscarem que o paciente caia no traumatismo, abalando uma trama simbólica já muito frágil. Que se faça referência à excitação, à pulsão ou à noção de organização e desorganização, sugere-se inevitavelmente que o registro dinâmico descontínuo esteja associado a uma estruturação tópica frágil ou inexistente.

Com efeito, o conflito intrapsíquico sempre deveria poder ser lido em termos tópicos. A culpa marca um conflito entre o eu e o supereu, já a vergonha, um conflito entre o eu e o ideal do eu. Na concepção freudiana, as instâncias id, eu e supereu, constitutivas da segunda tópica, não são dadas no nascimento e são adquiridas ao longo do desenvolvimento psíquico. O supereu, diz Freud, é herdeiro do complexo de Édipo[6].

O nível conflitual, que marca então o funcionamento eficaz da segunda tópica e sua estruturação integral, qualifica a neurose mental. A flexibilidade e a evolutividade próprias do registro conflitual podem igualmente ser identificadas no plano da primeira tópica, no funcionamento regular do pré-consciente. O pré-consciente, também adquirido pela ontogênese, seria, na primeira tópica, a marca que a segunda tópica introduz quando começa a funcionar.

Quanto mais a segunda tópica se desenvolve, mais o pré-consciente (PCs) se diferencia do inconsciente (ICs). Mas, referindo-se ao nível econômico (aquele da distribuição da energia no aparelho psíquico e seus transbordamentos traumáticos que ameaçam a própria existência das tópicas), admitem-se, ao mesmo tempo, as falhas da primeira e da segunda tópica, tornando então impossível representar topologicamente o que está em jogo na descompensação, até mesmo nos estados de compensação, nos pacientes caracteropatas. De fato, hoje, não se sabe descrever de outra forma que não seja em negativo, em in-

---

6   S. Freud. "Le moi et le ça", p. 77.

competência, em relação à neurose, a metapsicologia da psicose e da caracterose.

Antes de propor um modelo tópico dessas duas últimas estruturas, talvez seja útil lembrar que Freud opõe esquematicamente o inconsciente ao sistema pré-consciente — consciente (PCs — Cs). Entre os dois sistemas impera a censura. Isso poderia ser representado da seguinte maneira:

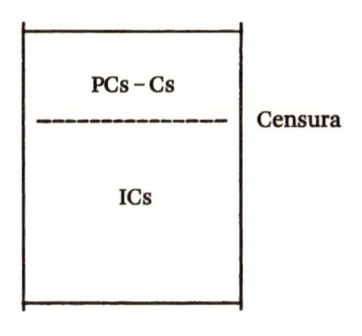

```
┌─────────────────┐
│                 │
│     PCs – Cs    │
│  ─ ─ ─ ─ ─ ─ ─  │  Censura
│                 │
│      ICs        │
│                 │
└─────────────────┘
```

Figura 1

Para dizer a verdade, se Freud fala muito do pré-consciente para caracterizá-lo como lugar de mestiçagem (representação de coisa ligada à representação de palavra), ele se refere ao sistema PCs — Cs, sobretudo, como um conjunto, sem nunca ou quase nunca especificar as diferenças entre os sistemas pré-consciente e consciente.

No capítulo VII de *A interpretação dos sonhos* e em *Complemento metapsicológico à teoria dos sonhos*, Freud fala, no entanto, da existência de uma segunda censura entre o PCs e o Cs.

Ele afirma diversas vezes, por outro lado, que o inconsciente finca suas raízes no soma. Dessa forma, chega-se implicitamente a uma representação estratificada em quatro níveis:

```
         Realidade
    ┌──────────────┐
    │     Cs       │
    │••••••••••••••│ 2ª censura
    │     PCs      │
    │              │
    │──────────────│ 1ª censura
    │              │
    │     ICs      │
    │              │
    │    SOMA      │
    └──────────────┘
```

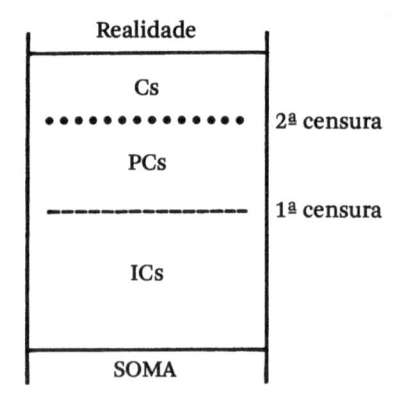

Figura 2

Não se conhecem bem as regras de circulação entre esses quatro níveis. Exceto entre os dois níveis intermediários PCs e ICs em que, num sentido, funciona o recalque (PCs — ICs) e, no outro, manifestam-se os retornos do recalcado, que são os lapsos, os atos falhos, as lembranças encobridoras, as fantasias, os sintomas e os sonhos. Mesmo que Freud considere, no início de sua obra, que o inconsciente resulta do recalque, ele volta posteriormente a esse ponto para postular a existência de um recalcado originário preexistente ao recalque dinâmico e com uma extensão maior que o próprio recalcado. Assim, participariam das trocas, atravessando a censura, somente as camadas mais superficiais do ICs.

```
                   ┌──────────────┐
                   │      Cs      │
                   │••••••••••••••│
                   │░░░PCs░░░░░░░░│
   Recalcamento    │──────────────│   Retornos do recalcado
                   │░░░░░░░░░░░░░░│
                   │     ICs      │
                   │              │
                   │    SOMA      │
                   └──────────────┘
```

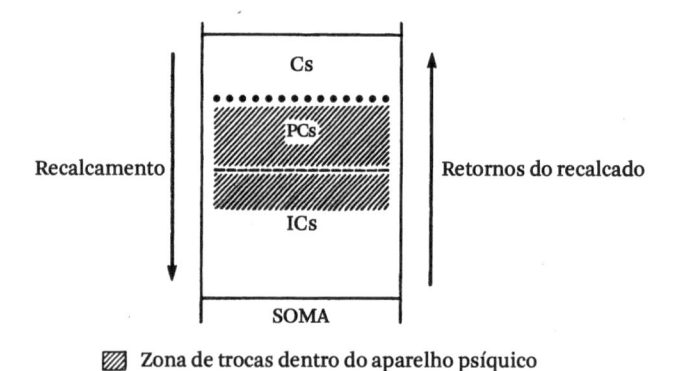

▨ Zona de trocas dentro do aparelho psíquico

Figura 3

## A terceira tópica

A hipótese que será proposta de uma terceira tópica resulta de considerações metapsicológicas sobre a perversão. É a respeito desta que Freud introduz a noção de "clivagem do eu", em virtude da qual o sujeito poderia funcionar conforme dois modos diferentes à revelia um do outro. Um deles reconheceria a realidade da diferença anatômica dos sexos, e o outro lhe oporia uma recusa.

Essa noção de clivagem tornou-se fundamental na psicanálise e necessária para situar-se em toda a clínica de pacientes não neuróticos. Pode ser abordada a respeito das psicoses (Melanie Klein), dos borderlines (Winnicott, Kernberg), das personalidades narcísicas (Kohut), dos psicopatas (Winnicott); e, se não se fala dela na psicossomática, talvez seja por uma lacuna teórica.

Nessa concepção maciçamente apoiada pela clínica, há quase uma impossibilidade, até hoje, de explicar a clivagem no plano tópico. Como representar dois funcionamentos psíquicos diferentes dentro de uma mesma tópica?

Nossa hipótese se baseia na observação clínica, em virtude da qual o inconsciente recalcado se faz conhecer no pré-consciente pelos retornos do recalcado e pelas representações de palavra. Certas manifestações clínicas, dentre as mais ruidosas, fogem às formas reconhecidas de retorno do recalcado (passagens ao ato, crise evolutiva de uma doença somática, confusão mental). Elas trazem, no entanto, com toda a evidência, a marca de uma influência do inconsciente. A hipótese que tentamos demonstrar neste livro consiste em considerar que essas manifestações são produzidas por efeitos de uma parte específica do inconsciente. Este seria formado por duas áreas distintas. A primeira área seria formada pelo recalque originário; é o inconsciente sexual, também chamado de inconsciente recalcado. A segunda área do inconsciente seria formada, em contrapartida, pela violência exercida pelos pais contra o pensamento da criança. Quando a atividade de pensamento da criança, em resposta à sedução exercida pelo adulto sobre o corpo dela, desencadeia a violência do adulto, o pensamento da criança é interrompido. Sem pensamento, não pode haver recalque originário (que supõe uma mensagem do adulto, um enigma — pensamento; pela criança, um trabalho — do pensamento — de tradução e um resíduo não traduzido, de acordo com a teoria da sedução de Laplanche). Essa área do inconsciente, formada sem passagem pelo pensamento da criança, é a réplica, no plano tópico, das zonas do corpo excluídas da subversão libidinal e do corpo erógeno.

Formada fora de qualquer pensamento próprio da criança, essa área do inconsciente será denominada "sem pensamento" ou *inconsciente amencial*. Por falta de pensamento em sua base, ele não poderia gerar retornos do recalcado nem qualquer pensamento novo. O principal modo de reação desse inconsciente amencial seria a desorganização do eu ou o desligamento crítico (sua forma típica é a *amência*, de Meynert, segunda razão para a denominação de *inconsciente amencial*) e o agir compulsivo sem pensamento. Essa questão será retomada e desenvolvida na conclusão.

A clínica dos pacientes não neuróticos nos revela derivados desse inconsciente que se manifestam sob a forma da violência, da passagem ao ato, de certas perversões e da somatização. Tudo isso constitui os sintomas não neuróticos que formam a patologia *psiquiátrica*. Sabe-se, por outro lado, que esses pacientes nem sempre estão doentes e que, em certas fases da vida ou mesmo durante toda a vida, são capazes de não sofrer descompensações. Neste caso, o inconsciente "amencial" permanece silencioso ou quase. Isso quer dizer que, em períodos em que se mantêm compensados, tais pacientes são como os neuróticos? Em certa medida, sim, pois nos mostram então um funcionamento pré-consciente. Mas é apenas em certa medida, porque sua vida mental parece às vezes restringida entre um inconsciente e um pré-consciente pouco prolixos, desde que se continue a decifrá-los através dos retornos do recalcado.

É forçoso admitir, portanto, que, diante desse inconsciente amencial, erige-se um sistema que pode barrá-lo eficazmente. A observação clínica mostra que, na ausência de sintomas psiquiátricos, tais pacientes se mantêm graças a comportamentos e a um modo de pensamento corretamente articulados com a realidade. Esse modo de pensamento é um modo eficaz, realista, que nada tem a ver com o processo secundário que reina no pré-consciente e que se caracteriza pelo que chamamos de *associações*. A barreira levantada contra o inconsciente amencial está sob o primado de um pensamento lógico e operacional, isolada do inconsciente. Isso nos permite descrever, nos caracteropatas, o pensamento operatório[7] e, em sujeitos com outra estrutura, um pensamento impessoal com o caráter estereotipado do discurso ideológico, racionalizado.

A partir dessas considerações, pode-se propor um modelo tópico que difere daquele de Freud por um movimento de báscula.

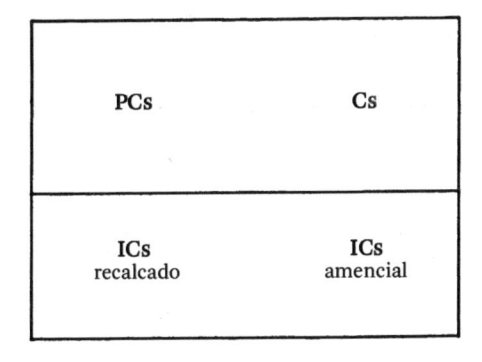

| PCs | Cs |
|---|---|
| ICs recalcado | ICs amencial |

Figura 4

Nessa perspectiva, o sistema consciente (Cs), cuja natureza nunca foi esclarecida por Freud, seria um sistema organizado pelo pensamento lógico, feito de palavras associadas

---

7 P. Marty, M. de M'Uzan. "La pensée opératoire", *Rev. Franç. Psychanal.*, 27, 1963, p. 345-355.

não pelas analogias constitutivas do desvio metonímico, ou da metáfora, mas por um pensamento dado de fora, lógico, aprendido, ou seja, o pensamento intelectual derivado do desenvolvimento cognitivo. Trata-se, pois, de um pensamento lógico *resultante de uma aprendizagem* e não de uma simples réplica da realidade. Certos pacientes ditos operatórios se servem de um pensamento operatório concreto, outros, de um pensamento operatório abstrato e outros, ainda, de um pensamento lógico conceitual, de acordo com a terminologia de Piaget; e seria um erro acreditar que o pensamento operatório é uma simples fotografia da realidade. Ele é uma interpretação desta, mas é uma interpretação lógica, fornecida a partir do exterior, *aprendida*, e não uma interpretação fantasmática *inventada* pelo sujeito. A clivagem seria o resultado da separação interna à tópica entre dois registros, dos quais um é dominado pelo processo secundário e o outro por um processo sociocognitivo que confere às associações um caráter estritamente impessoal, apartado do inconsciente. A clivagem no estado de equilíbrio seria representada assim:

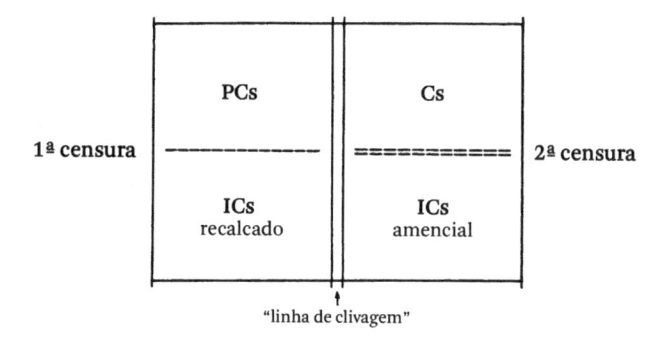

|  | PCs | Cs |  |
|---|---|---|---|
| 1ª censura | --------------- | =========== | 2ª censura |
|  | ICs recalcado | ICs amencial |  |

"linha de clivagem"

Figura 5

No sujeito identificado como "normal", o inconsciente amencial é bem contido pelo sistema consciente, que funciona como uma barragem. Resta, por outro lado, a possibilidade de um funcionamento de aspecto neurótico na parte esquerda da figura, com as formas clássicas do retorno do recalcado eventualmente. O sujeito é bem adaptado à realidade e não apresenta sintoma psiquiátrico.

Quanto mais a clivagem é deslocada para a esquerda, mais a normalidade toma um aspecto padronizado e conformista regido pelo sistema consciente, separando eficazmente o inconsciente amencial e a realidade. Quanto mais a clivagem é deslocada para a direita, mais a parte visível do funcionamento psíquico é dominada pelo sistema pré-consciente e pelo processo secundário.

| PCs | Cs | | PCs | Cs |
|---|---|---|---|---|
| ICs recalcado | ICs amencial | | ICs recalcado | ICs amencial |

não neurótico compensado
"falso self"

neurótico compensado
"verdadeiro self"

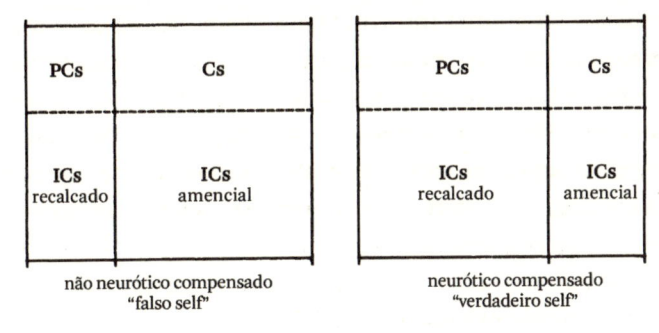

Figura 6

A partir dessa representação, compreende-se que as descompensações nos não neuróticos, isto é, o rompimento da clivagem, façam o inconsciente amencial aparecer sob a forma de comportamentos que, com frequência, tomam uma conotação psiquiátrica.

Antes de prosseguirmos tratando dos modos de circulação entre sistemas na terceira tópica, precisamos abrir um parêntese acerca da questão, frequentemente discutida, do "verdadeiro self" e do "falso self".

De acordo com a terceira tópica, é fácil identificar o verdadeiro self como a estrutura neurótica. O analista lida essencialmente com o pré-consciente e o processo secundário, no duplo sentido das palavras e do discurso, com um ser-no-mundo altamente singularizado, portador de uma história pessoal diferenciada.

Em contrapartida, diante do não neurótico, o analista lida com um discurso convencional, impessoal, adquirido por aprendizagem, desprovido de duplo sentido e de ambiguidade, fundamentalmente apartado do inconsciente, cujos derivados são mal percebidos, embora existam, como veremos no capítulo V.

Compreenderemos facilmente a concepção de Winnicott se nos referirmos à terceira tópica, bem como sua assertiva sobre o valor funcional e a utilidade do falso self. De fato, a clivagem existe em todos nós, tanto no neurótico como no não neurótico. A diferença resulta, sobretudo, da importância conferida ao sistema consciente para garantir o equilíbrio tópico. De toda maneira, todo sujeito deve administrar o inconsciente amencial e garantir a clivagem de uma parte de seu self. Mas, no caso do neurótico, a barra da clivagem é apoiada pela esquerda e pela direita, isto é, de um lado, pela solidez dos sistemas inconsciente — pré-consciente e, do outro, pelo sistema consciente.

Em compensação, o não neurótico só consegue garantir a estabilidade pelo sistema consciente à direita, que o inconsciente amencial tende a romper, devido à ausência de circulação entre o consciente e o inconsciente amencial. Do outro lado, os sistemas inconsciente — pré-consciente constituem uma sustentação muito menos espessa às pressões do inconsciente amencial que na neurose.

Com essa referência à terceira tópica, compreenderemos também por que nenhum sujeito está totalmente protegido da somatização nem do delírio, mesmo que certas estruturas estejam mais bem protegidas do que outras (cf. acima).

Para completar o esquema, convém, na verdade, posicionar também a realidade. Por realidade, deve-se entender não o Real, no sentido de Lacan, é claro, tampouco a realidade material e física, mas a realidade do encontro com o outro, com os outros. A realidade é, portanto, tudo aquilo que pode proporcionar um encontro com o sujeito. Encontro que pode estimular o inconsciente, em sentido amplo, isto é, o inconsciente recalcado e não recalcado. No esquema a seguir, representaremos uma zona particular de fragilidade da terceira tópica que se situa exatamente no ponto de encontro dos quatro sistemas com a realidade. Nesse nível, o inconsciente é separado da realidade por uma "espessura" menor de pré-consciente e de consciente. Trata-se especificamente da *zona de sensibilidade do inconsciente*, descrita por Michel Fain[8], em que o inconsciente é diretamente estimulado pela realidade pela via da *percepção* (a diferenciar da representação). Ao contrário, lateralmente em relação à zona de sensibilidade do inconsciente, a realidade — para alcançar o inconsciente — deve primeiramente transpor a espessura do pré-consciente à esquerda ou do consciente à direita, que desempenham ambos um papel protetor contra o excesso de excitação e o traumatismo.

O esquema poderia então ser representado assim:

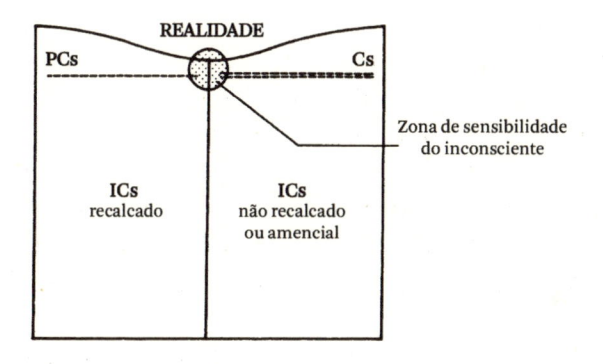

Figura 7

A questão que se impõe agora é aquela das relações entre esse inconsciente amencial e o inconsciente recalcado e, de modo mais geral, da circulação dentro da tópica da clivagem.

---

8   M. Fain. "Vers une conception psychosomatique de l'inconscient", *Rev. Franç. Psychanal.*, 45, 1981, p. 281-292.

## A circulação dentro da terceira tópica

A referência à terceira tópica só pode se justificar se for possível, de um lado, encontrar nela os dados teóricos clássicos da psicanálise e, de outro, introduzir nela elementos novos para dar conta de fatos de observação clínica que se explicam mal com base na teoria clássica apenas.

A indagação que se faz é sobre a circulação entre os diversos sistemas, considerando-se que só conhecemos bem o destino dos investimentos entre o sistema pré-consciente e o sistema inconsciente mediante a censura, graças ao recalque e aos retornos do recalcado, que são os lapsos e atos falhos, as lembranças encobridoras, os sintomas psiconeuróticos (histéricos, fóbicos, obsessivos), as fantasias e os sonhos.

A clivagem instaura no aparelho psíquico uma separação radical. O inconsciente dinâmico envolvido nos retornos do recalcado é apenas a parte recalcada do inconsciente, e vimos que o sonho desempenha aqui um papel determinante, tanto em sua função recalcadora quanto em sua função organizadora e criadora do inconsciente sexual. O recalque tem uma função *conservadora* em relação ao aparelho psíquico, na medida em que mantém dentro da tópica os pensamentos recusados pelo pré-consciente e os mantém disponíveis para os retornos do recalcado. O recalque está, portanto, a serviço da vida psíquica e do funcionamento mental.

Pode-se perguntar o que acontece espontaneamente ao longo da ontogênese e da vida e, de forma específica, no tratamento psicanalítico quanto à clivagem e ao inconsciente não recalcado amencial.

O inconsciente amencial não pode gerar pensamentos diretamente, e é preciso saber como se dá o trabalho de colonização dessa parte do inconsciente para colocá-la a serviço do funcionamento psíquico durante o seu desenvolvimento.

Não pode haver circulação direta entre os dois inconscientes se aceitarmos a hipótese da terceira tópica, segundo a qual, por definição, a clivagem consiste exatamente em garantir o jogo simultâneo das duas partes, uma à revelia da outra.

É preciso, pois, considerar mediações específicas. Nossa hipótese confere à zona de sensibilidade do inconsciente um lugar fundamental, em conformidade com a concepção de outros autores[9]. Consideraremos que a zona de sensibilidade do inconsciente, pouco protegida pela superestrutura PCs — Cs nesse espaço muito reduzido da tópica, só é separada da realidade por um mecanismo único e inflexível, utilizado por todas as estruturas, ao qual se costuma dar o nome de *recusa* (*Verleugnung*). A recusa é recusa da percepção afetiva da Realidade. O resto do dispositivo psíquico só seria posto em movimento quando a recusa falha.

Sabemos que, quando a recusa é transposta, pode haver uma descompensação: o psicótico começa a delirar e a alucinar, e o caracteropata somatiza. Trataremos dessas descompensações no capítulo seguinte. Por enquanto, vamos analisar o processo que segue a retirada da recusa sem provocar traumatismo, ou seja, sem cair na patologia.

A efração da recusa e a reação afetiva requerem a participação do pré-consciente, uma vez que a percepção já supõe a comparação com traços mnésicos preexistentes. Em certos casos, a participação do PCs não é possível, pois a percepção cria tamanha perturbação reativa no inconsciente amencial, que a descarga é imediata e obrigatória. A descarga passa, então, pela musculatura estriada, desencadeando movimentos automáticos ou sequências comportamentais mais complexas, embora sempre compulsivas. Às vezes, a excitação desencadeia um comportamento mais organizado que visa a extingui-la: ou o sujeito ataca na realidade a fonte da excitação por um ato de destruição (passagem ao ato), ou então se esquiva ativamente dessa fonte de excitação pela fuga.

9    M. Fain, 1981.

Quando o sujeito lança mão desses procedimentos, o levantamento da recusa não leva a nenhuma capitalização mental. O inconsciente amencial permanece não recalcado; não há nenhum efeito de organização mental a partir dessa experiência de efração pelo encontro com a realidade.

Outros sujeitos suspendem a descarga da excitação, o que indica que a efração e a excitação não atingiram um nível excessivamente elevado. Nesse caso, a percepção é de alguma maneira retida, posta à espera para tomar outro destino. A percepção, como dissemos, suscita uma participação do pré-consciente. Essa percepção deve ser compreendida em seu sentido psicanalítico, ou seja, como uma forma, uma Gestalt que desencadeia as associações por analogia com representações constituídas ao longo da história singular do sujeito. As associações que surgem, assim, a partir da percepção seguem as cadeias associativas características do pensamento pré-consciente. Existe, então, o risco do desvio dos investimentos da percepção inicial para outras representações, risco este que se traduz, no plano psíquico, em produção de afeto. As associações de ideias podem ser postas em latência pelo pré-consciente, justamente, para lutar contra o afeto se este for temido pelo sujeito. O pensamento posto em latência poderá ser tratado pelo sonho na noite seguinte e recalcado no inconsciente dinâmico (recalcado).

Assim, ao término do processo, o inconsciente recalcado é enriquecido por um material proveniente do inconsciente amencial, graças à transposição da recusa e ao encontro com a realidade. Esse encontro confere à excitação um continente formal. De certa maneira, poder-se-ia dizer que a realidade fornece uma "interpretação" vinda de fora para um estado particular de excitação do corpo no momento da transposição da recusa pelo encontro com a realidade. Essa "interpretação", que age diretamente no plano perceptivo e envolve os órgãos sensoriais, é diferente da interpretação analítica, que, em princípio, passa apenas pelas palavras — em princípio, porque, se o analista evita fornecer percepções ao paciente, esquivando-se do olhar deste e depurando o máximo possível o enquadre da sessão de qualquer irrupção externa, ele o faz apenas de forma imperfeita e, de fato, é usado pelo paciente de maneira comparável ao processo descrito aqui. São esses mesmos restos da percepção durante a vigília que serão utilizados pelo sonhador para pôr em imagem os pensamentos latentes do sonho, graças à regressão formal.

Ao final desse processo, o inconsciente recalcado é ampliado e enriquecido por esse novo material que foi extraído do inconsciente não recalcado. A partir daí, um novo estímulo pela realidade semelhante ao anterior encontrará em seu caminho as marcas deixadas no pré-consciente pelo processo que se desenrolou anteriormente, possibilitando, assim, todo o jogo das defesas neuróticas vinculadas ao funcionamento do pré-consciente. Essa zona do inconsciente, então, não está mais protegida pela recusa apenas. Podemos supor que a soma desses processos desloca aos poucos a barra da clivagem, em nosso esquema, para a direita (cf. figura 7). É dessa maneira que o sujeito consegue libertar-se progressivamente da tendência à descarga, em benefício do enriquecimento do inconsciente recalcado e da dinâmica do pré-consciente. A estereotipia da reação compulsiva, em resposta à brecha produzida através da recusa da realidade, dá lugar à resposta atenuada e flexível dos retornos do recalcado. Esse longo processo pode ser denominado *perlaboração pelo sonho*.

Podemos destacar aqui a importância do papel conferido à realidade nesse processo. Ela é o mediador necessário para transpor a recusa e ativar o inconsciente. Compreende-se bem, então, por que certos sujeitos, temendo a ativação de um afeto (devido ao possível fracasso da colocação em latência e do recalque) e o desencadeamento da violência da descarga compulsiva, tentam esquivar-se da realidade, que se tornou, ela mesma, fonte de perigo. Trata-se da *inibição* que podemos observar em qualquer estrutura.

Antes de ir adiante, notemos que, paralelamente a esse longo processo que acaba de ser descrito, existem outras manifestações do inconsciente amencial que não são patológicas (sublimação, realização pulsional pela percepção e intricação apaixonada). Elas serão descritas no capítulo seguinte.

## Zona de sensibilidade do inconsciente, recusa de percepção, descarga e passagem ao ato: a tópica do psicopata

A zona de sensibilidade do inconsciente também é a zona de fragilidade fundamental da terceira tópica em qualquer sujeito em estado de equilíbrio. Isso quer dizer que, mesmo quando a clivagem está estável, permanece um espaço de fragilidade em que o sujeito corre o risco de enfrentar, um dia, uma situação real que esteja acima de suas forças e que o leve a uma crise.

Em certa medida, nenhum sujeito ignora totalmente essa zona de fragilidade. Em geral, o sujeito tenta se proteger evitando situações sentidas intuitivamente (justamente graças à sensibilidade do inconsciente) como sendo carregadas de perigo para a sua clivagem. No entanto, ninguém consegue evitar com tanta eficácia encontrar tais situações perigosas. Este é o caso, sobretudo, de sujeitos que têm uma zona de sensibilidade muito extensa, isto é, quando PCs e Cs conseguem cobrir apenas uma superfície muito limitada do inconsciente. Essa configuração pode ser encontrada especialmente em sujeitos que têm um sistema consciente com pouca espessura, devido à pobreza dos recursos sociocognitivos decorrente do fracasso das aprendizagens comuns. O aparelho psíquico desses sujeitos poderia ser representado da seguinte maneira:

|  Zona de sensibilidade  | |
|---|---|
| PCs | Cs |
| ICs<br>recalcado | ICs<br>amencial<br>(não recalcado) |

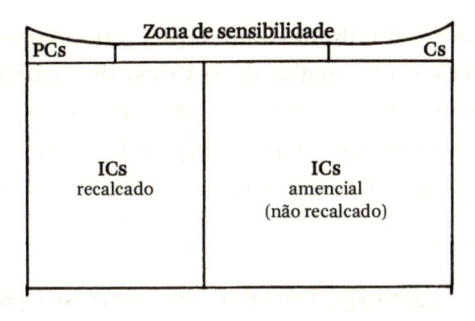

Figura 8

Esses sujeitos correm seguidamente o risco de sofrerem um transbordamento da excitação do inconsciente não recalcado, provocado pelo encontro temido com as situações reais traumáticas.

A questão, então, é saber o tipo de reação que resulta desse encontro. Dissemos anteriormente que a única via possível para evacuar a excitação que não pode ser assumida pelo pré-consciente é a descarga direta para o exterior, incorrendo no risco de o aparelho psíquico entrar em colapso (descompensação). Os principais modos de descarga são a explosão de raiva e a passagem ao ato, que, em relação aos outros modos, têm a vantagem de se dirigirem para o exterior, mantendo a clivagem sã e salva. A passagem ao ato tem um caráter compulsivo, quase incontrolável. Ela subjuga o sujeito que quer salvar sua organização tópica da destruição. Duas fórmulas motoras se apresentam a ele: esquivar-se da situação excitante pela fuga, fuga efetiva e não figurada, ou destruir a fonte externa da excitação pela violência física. Em ambos os casos, encontramos a violência compulsiva das reações instintuais. A passagem ao ato pode ter um caráter tão brutal e incoercível que pode ser confundida com uma explosão de raiva cega, tornando bem difícil discernir um conteúdo específico. É bem verdade que todas as crises de violência são relativamente semelhantes e estereotipadas, não tendo nenhum caráter individual. Em compensação, às vezes, o sujeito consegue se voltar contra algo específico causado pela situação real insustentável que ele tenta aniquilar irresistivelmente, mas com alguma pertinência. Esse é o caso de sujeitos que passam ao ato muito raramente, de modo que, pela análise dos dados da situação, consegue-se decifrar um significado nessa passagem ao ato. Certos autores empregam o termo *acting out* para diferenciar esse caso da passagem ao ato.

A passagem ao ato, portanto, parece ser um meio que o sujeito encontra para preservar o seu aparelho psíquico e não enlouquecer. Porém, a passagem ao ato pode não ser possível porque o sujeito se recusa a fazê-lo, num derradeiro esforço de lutar contra a descarga de sua violência. Então, ele reage por uma grande inibição que pode chegar a um episódio de prostração, de estupor. Nesse momento, não há atuação, mas também não há passagem pela percepção, que deve ser evitada. Nesse caso, a inibição motora vem acompanhada por uma inibição do pensamento e uma sensação de cabeça vazia[10]. Essa extinção do pensamento pode levar o sujeito aos seus limites e fazê-lo chegar à perda de consciência. É aqui que se situa a epilepsia, que, em sua forma completa do grande mal, associa a perda de consciência com a descarga motora automática, cujo caráter espetacular e impressionante resulta, em nossa opinião, não só dos movimentos clônicos que sugerem ao espectador algo sexual, mas também do seu caráter profunda e fundamentalmente violento. O que dá essa impressão de assombro vem justamente dessa associação extraordinária, dessa condensação entre uma manifestação sexual e uma manifestação violenta.

Por isso, como propõe Neyraut-Suttermann[11], a epilepsia merece um lugar à parte na psicossomática. Ela é, de fato,

---

10 Isso pode chegar à confusão mental (*amentia*). Foi por conta desse "horizonte psicopatológico", comentado na conclusão deste livro, que propomos o termo inconsciente amencial.
11 T. Neyraut-Suttermann. *À propos de la psychanalyse d'un cas d'épilepsie*. Dissertação de candidatura à Sociedade Psicanalítica de Paris (texto não publicado, 1977).

um ponto de encontro resolutivo fundamental da colocação em perigo da tópica da clivagem pelo recurso a um processo dividido entre a passagem ao ato violento, a inibição e a somatização.

Na ausência de descarga motora e inibição, a excitação começa seu trabalho de destruição da tópica e da clivagem. A forma primordial dessa excitação não mentalizada e não descarregada na motricidade é o *traumatismo*. A excitação desencadeia então a confusão mental, com o seu cortejo de sinais somáticos. Aliás, esse ponto foi destacado por Marty e seus colegas, que sempre notam nas "neuroses de comportamento" (caracteroses mal organizadas) a gravidade das descargas motoras, da hiperatividade e da via comportamental, em alternância com as somatizações. No entanto, curiosamente, a parte atribuída por esses autores às passagens ao ato é moderada, enquanto aqueles pacientes que recorrem muito às passagens ao ato — como psicopatas, delinquentes, desequilibrados, etc. — são também, com frequência, os que somatizam facilmente e, passada sua juventude agitada, não apresentam grande robustez somática.

Antes de procedermos à análise das diferentes estruturas mentais e das descompensações, precisamos assinalar um ponto importante na perspectiva clínica: em um encontro com a realidade que transpõe a barreira da recusa, a violência instintual que se atualiza na raiva e na passagem ao ato oferece, às vezes, ao inconsciente recalcado a oportunidade de abrir um caminho incomum para o agir. A passagem ao ato beneficia-se, assim, de uma contribuição proveniente da sexualidade psíquica, de modo que a violência adquire uma leve conotação erótica. Essa "coexcitação sexual" pode confundir por um duplo sentido da passagem ao ato e aparentá-la a um sintoma neurótico clássico. Isso é, em parte, verdadeiro, mas apenas em parte, porque a interpretação do conteúdo sexual que pode, assim, ser desvelado não leva em absoluto à elaboração da excitação. Tais considerações têm implicações técnicas, pois é justamente a violência que deve ser atacada nesses casos, e não o conteúdo erótico que lhe está associado, se quisermos vencer essas condutas pela análise.

```
                    REALIDADE
    PCs     ↑         ↘      |    Cs
    ────────┼─────────────────┼────────
            |                 |
    ICs recalcado    ICs amencial
            |                 |
    ────────┴─────────────────┴────────

    ▷ pressão instintual   ▶ coexcitação sexual
```

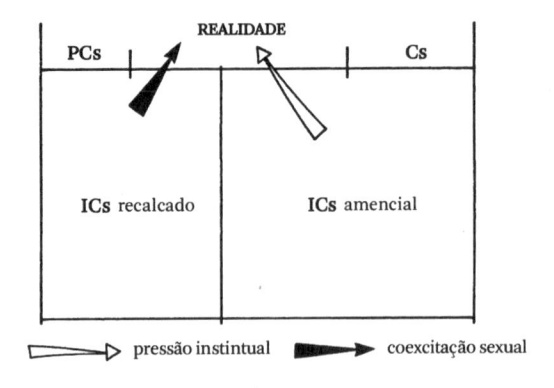

Figura 9
Tópica da passagem ao ato

## Tópica da psicose

O psicótico, assim como o caracteropata do qual falaremos mais adiante, possui, como se sabe, um pré-consciente pouco desenvolvido e pouco eficiente. O que caracteriza a psicose, acima de tudo, é a insuficiência ou o fracasso do recalque[12]. Sem retorno do recalcado, não tem sentido falar do pré-consciente. Para fins de descrição, tomaremos a psicose paranoica *compensada*. O que a caracteriza é o recurso apaixonado à racionalidade e à lógica do pensamento. O paranoico usa com paixão o seu sistema consciente e o processo lógico, o qual deve ser diferenciado do processo secundário do pré-consciente. O consciente é encarregado pelo paranoico de formar uma barreira de contenção infalível contra as irrupções do inconsciente amencial. Ao investir o processo lógico dessa maneira, o paranoico se sobressai (enquanto não delirar) pela eficácia social e profissional. Deve-se ressaltar que muitas estruturas paranoicas nunca

12  G. Pankowet *et al. 25 années de psychothérapie analytique des psychoses*, Paris, Aubier-Montaigne, 1984.

descompensam, justamente graças a esse recurso à barreira do consciente, mas também graças a certa aptidão para tratar em separado, através da perlaboração pelo sonho (cf. anteriormente) e pela sublimação (cf. capítulo V), o que é mobilizado pelo inconsciente recalcado.

O discurso do paranoico atinge, às vezes, a perfeição no pensamento operatório. Trata-se de um pensamento operatório muito semelhante ao do caracteropata em depressão essencial, porém sustentado por *uma paixão* que falta exatamente ao caracteropata por razões que veremos mais adiante.

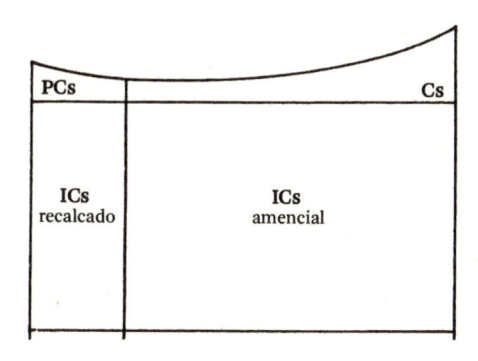

|  PCs  |  Cs  |
|---|---|
| ICs recalcado | ICs amencial |

Figura 10
Tópica do paranoico

A figura 10 representa a terceira tópica no caso do psicótico. Graças à eficácia do consciente, que se interpõe de maneira sistemática e efetiva entre a realidade e o inconsciente amencial, o paranoico mantém solidamente a segunda censura. É a eficácia dessa censura que Freud comenta no capítulo VII de *A interpretação dos sonhos*.

Todavia, pode acontecer que até mesmo o psicótico mais bem organizado seja posto em dificuldade pela realidade, que a recusa que protege a zona sensível do inconsciente e a barreira de contenção do consciente sejam afetadas. A clivagem é então ameaçada, e o equilíbrio psíquico, rompido. O psicótico passa a tratar a percepção perigosa de uma forma muito particular, que se diferencia claramente da passagem ao ato e da angústia visceral ou do traumatismo. Ele "rejeita" pura e simplesmente os pensamentos que nascem da percepção e das associações que esta suscita com as representações pré-conscientes. A rejeição — ou forclusão (*Verwerfung*) — distingue-se do recalque (*Verdrängung*) por remeter a percepção interna para fora da tópica. A percepção interna é repelida para a realidade. O pensamento rejeitado pelo sujeito retorna de fora (Freud-Lacan) sob a forma de ideia imposta, de influência, de parasitismo, de telepatia. Para lutar contra a destruição do seu aparelho psíquico, o sujeito tenta aplicar aos seus pensamentos, que ele acredita terem vindo do exterior, o tratamento lógico a que submete tudo o que está ao seu redor. *De lógico, seu pensamento se torna paralógico.* Começa então o delírio interpretativo, em regra notavelmente bem amarrado e coerente. O paranoico acredita no que diz com uma certeza que nada tem de espantosa. Ele não tem razão alguma para duvidar da verdade do seu discurso, uma vez que, até então, sempre pôde confiar na lógica racional, e suas interpretações hábeis não põem em xeque de modo algum o pensamento lógico.

Na descompensação, às vezes durante muito tempo, o delírio cobre apenas a brecha aberta pela realidade e por sua percepção que atravessa a recusa. Se for bem construído, ele pode ser suficiente, deixando, por outro lado, que a parte esquerda da sua terceira tópica funcione corretamente, a parte do inconsciente recalcado e do pré-consciente. Assim, fora do setor perigoso, o psicótico pode apresentar um funcionamento mental relativamente bom. Nesse caso, o delírio "no setor" ainda consegue salvar a clivagem e o aparelho psíquico da destruição.

O psicótico bem organizado é aquele que, diante de cada prova de realidade que ponha em xeque a recusa e estimule a zona sensível do inconsciente, realiza novamente a integração da percepção sob uma forma de interpretação delirante num sistema paralógico que se adapta e se transforma com talento a cada situação. O que caracteriza a chamada "boa organização mental" de um psicótico é a capacidade de integração flexível e, às vezes, notável de astúcia e invenção intelectual.

Porém, não é sempre assim, e as coisas podem não parar por aí. Se a realidade insistir, geralmente devido à intervenção constante de um parceiro do psicótico a quem ele dirige o seu delírio, a clivagem cede. Desta vez, a *percepção* será diretamente atacada pelo psicótico, antes mesmo que esta possa dar origem a associações ideativas. Já não é mais a ideia que sofre o efeito da rejeição para fora da tópica, mas a própria percepção. Em relação ao pensamento paralógico, a rejeição que age sobre ela corresponde a uma regressão tópica da ordem da ideia para a percepção. A percepção rejeitada retorna do exterior sob a forma da *alucinação*: alucinações verbais enquanto houver palavras, depois alucinações psíquicas, alucinações auditivas não verbais, alucinações cenestésicas e, por fim, em estado muito mais agravado, alucinações gustativas, olfativas e visuais.

Nesse estágio de descompensação, o paranoico já não é mais verdadeiramente paranoico, começando a degenerar para a esquizofrenia. É o que chamamos, em psiquiatria, de "episódio produtivo". No episódio produtivo ou na esquizofrenia, sempre encontramos núcleos de delírio persecutório, de interpretação delirante e de paralogismo paranoico (raciocínio falso). Não é espantoso que, nesse momento, o psicótico também tente recorrer, às vezes, a passagens ao ato para solucionar suas contradições com a realidade percebida.

Num estágio mais avançado, não há mais delírio exteriorizado, e o psicótico congela na inibição catatônica, saindo momentaneamente desta em explosões violentas de raiva que demonstram que o inconsciente não recalcado e sua violência estão no cerne do sofrimento e da descompensação.

Se, depois da ruptura da clivagem, não resta mais nada do sistema consciente além de fragmentos, assiste-se, então, a uma anarquização quase total das alucinações, das quais uma parte significativa torna-se visual e tátil. O paciente afunda na confusão mental (*amentia*).

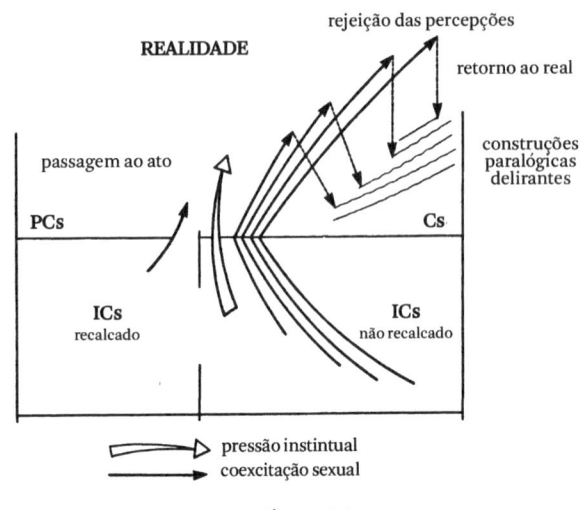

Figura 11
Tópica da descompensação psicótica

Do ponto de vista tópico, a caracterose é marcada pela pobreza dos retornos do recalcado e pela importância do inconsciente não recalcado.

Em estado de compensação, a tópica da caracterose difere pouco da tópica psicótica. O sistema consciente e seu modo de pensamento operatório formam a barreira principal contra as irrupções do inconsciente amencial estimulado pela realidade. O apelo apaixonado ao pensamento lógico e racionalizante pode efetivamente ser encontrado em muitos caracteropatas que o utilizam quase de forma idêntica ao paranoico, tanto assim que certos pacientes que somatizam, principalmente no aparelho cardiovascular, apresentam-se, às vezes, como paranoicos. Isso também acontece com certos pacientes que sofrem de retocolite, poliartrite, etc. Na psicossomática, fala-se, então, com frequência, em "psicose de caráter". O pensamento operatório desses pacientes é tão apaixonado quanto o do paranoico. Às vezes, alguns elementos que já sugerem o recurso ao raciocínio paralógico podem até ser encontrados. Enquanto não cede lugar ao delírio, esse pensamento operatório é, mesmo assim, diferente daquele encontrado na depressão essencial. A diferença diz respeito apenas à "tensão" desse pensamento. É como se, no paranoico compensado e no caracteropata compensado, o recurso ao pensamento operatório (lógico) fosse usado com paixão como sistema defensivo global destinado a manter a clivagem. Designamos esse pensamento operatório de forma estritamente descritiva pelo adjetivo "hipertônico" (mais "esporeado" pelo inconsciente amencial).

O *pensamento operatório hipertônico* se diferencia clinicamente do pensamento operatório "hipotônico" encontrado em caracteropatas que já somatizaram muito (ou em estado de descompensação somática), principalmente na depressão essencial. O pensamento operatório hipotônico foi descrito por Marty e de M'Uzan[13]. O caráter não apaixonado do recurso ao pensamento operatório, neste caso, resulta de uma pressão menor do sistema inconsciente amencial em direção à realidade do que no psicótico. De fato, a somatização abre uma brecha pela qual se engolfa em parte a pressão do sistema inconsciente. Assim, o sistema consciente pode funcionar, de certa maneira, sem a ameaça da clivagem do inconsciente e, sobretudo, sem a ameaça da clivagem e da integridade da terceira tópica.

É necessário aqui insistir num ponto: o caracteropata pode recorrer (quando a via do recalque onírico for insuficiente para metabolizar a excitação) à passagem ao ato e à hiperatividade comportamental, da mesma forma que as outras estruturas examinadas. Ele pode tentar instaurar eventualmente um sistema paralógico, como dissemos,

---

[13] P. Marty, M. de M'Uzan. "La pensée opératoire", artigo citado.

mas, em caso de fracasso por essa via, resta-lhe ainda uma última maneira de lutar contra a emergência de sua violência, com um poder de conservação da clivagem: a *somatização*.

Em outras palavras, o psicótico que descompensa deixa o seu inconsciente amencial irromper, e a clivagem é posta em xeque. O pré-consciente e o consciente são afetados, e o paciente não consegue mais esconder sua loucura. Em compensação, quando somatiza, o caracteropata mantém as aparências. O pré-consciente e o consciente podem sobreviver sem grande mudança à pressão inconsciente somatizada, de modo que o caracteropata pode descompensar sem revelar ao exterior sua loucura em sua relação com a realidade e com o objeto. Assim, em plena crise, um caracteropata pode parecer não só muito "normal", mas também extraordinariamente pacifista, calmo, até mesmo muito amável, se podemos nos permitir o uso de tal qualificação. A violência, fonte da descompensação, pode não se manifestar de forma visível, mas este nunca é o caso do psicótico quando descompensa. A violência deste é evidente e, às vezes, perigosa, se a defesa paralógica for posta em perigo. O risco é uma passagem ao ato violenta sobre o outro ou contra o próprio sujeito (tentativa de suicídio). No que se refere aos caracteropatas, a somatização nem sempre absorve a totalidade da pressão violenta, de modo que também se encontram construções delirantes e até mesmo alucinações e passagens ao ato nas descompensações desses pacientes, embora possamos considerá-las menos espetaculares. De toda maneira, nesses pacientes, a violência seria menos visível, bem como a loucura (mesmo assim, são pacientes caracteropatas, pois sua falha estrutural fundamental está na capacidade de somatizar).

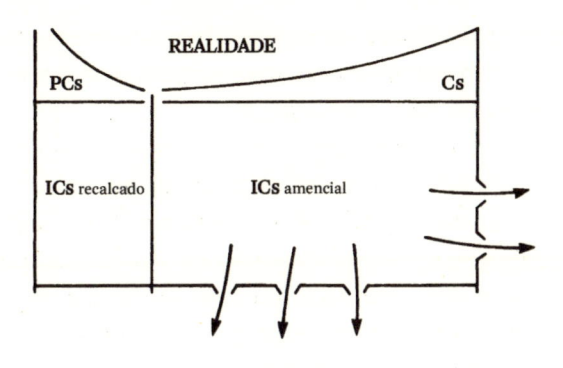

Figura 12
Tópica da somatização protetora da clivagem e da "normalidade"

Falta entender do que resulta a somatização em relação à excitação que lhe dá origem. Vimos que o paranoico "rejeita" os pensamentos suscitados pela percepção da realidade recusada até então. O esquizofrênico procede da mesma maneira, por rejeição, mas ataca, a um nível aquém do paranoico, não só o pensamento associativo, mas a própria percepção ou, até mesmo, a sensação diretamente.

O caracteropata, por sua vez, não procura rejeitar a percepção, mas claramente *destruí-la*. Observa-se a analogia com a passagem ao ato, que também visa à destruição da percepção. Porém, enquanto o psicopata mira na própria fonte da percepção, neutralizando a realidade pela violência, o caracteropata respeita a realidade e a fonte de excitação. Este neutraliza em si mesmo aquilo que o excita. Procura reduzir o encontro com a realidade que conseguiu transpor a recusa, operando por um processo que reduz a sensação pela destruição de seu próprio corpo. A excitação é descarregada por vias automáticas determinadas pela lógica do organismo vivo. Na motricidade *automática* (e não na motricidade voluntária), isso provoca tremores, hipertonia muscular, tetania ou mesmo convulsões tônico-clônicas. A excitação também é descarregada na motricidade *visceral* (músculos lisos) e no músculo cardíaco por intermédio da ativação do eixo hipotalâmico-visceral e do sistema nervoso autônomo. A excitação é descarregada, por fim, na ativação das funções *endocrinometabólicas*[14].

Para degradar a percepção em excitação, o caracteropata usa um mecanismo muito peculiar denominado *repressão* (*Unterdrückung*), diferente do recalque (*Verdrängung*). O ataque, então, visa diretamente à fonte instintual, para que a pressão seja descarregada de imediato no corpo visceral antes mesmo que possa haver percepção, logo, totalmente à margem do funcionamento mental pré-consciente. Dunbar foi a primeira a descrever essa característica própria da somatização[15].

A repressão, cujo interesse teórico para a psicossomática foi destacado por Parat[16], continua sendo bem misteriosa. A partir da observação clínica de trabalhadores que recebem salário por unidade produzida (peça, serviço ou obra), pudemos relacionar o mecanismo de ação com a repressão. De fato, esse modo de organização do trabalho leva experimentalmente à repressão e à depressão essencial[17]. O operário remunerado por unidade produzida tem de lutar contra o seu funcionamento mental e contra qualquer forma de retorno do recalcado que se oponha inevitavelmente à mobilização e ao investimento sensório-motores que, nessa situação, são uma exigência contínua a cada instante, sem qualquer falha. Por isso, é possível mostrar que o exercício excessivo e frenético de desempenhos sensório-motores pode interromper o funcionamento pré-consciente. Na verdade, não se trata de qualquer desempenho. A tarefa é repetitiva e estereotipada, característica essa fundamental para abrir a via da repressão instintual.

14 C. Dejours, R. Assan, J.-P. Tassin. "Fonctionnement mental, hiérarchie fonctionnelle de l'encéphale et gluco-régulation", *L'Encéphale*, 9, 1983, p. 73-89.
15 H. F. Dunbar. *Mind and Body. Psychosomatic Medicine*, New York, Random House, 1955.
16 C. Parat. "Réflexions et questions", *II<sup>e</sup> Journée d'étude de l'Institut de psychosomatique*. [texto não publicado], 19 de fevereiro de 1983, p. 76-80.
17 C. Dejours. *Travail: usure mentale. Essai de psychopathologie du travail*, Paris, Centurion, 1980.

Desde o estudo desses casos clínicos feito no terreno das empresas, encontramos, em diversas situações, um mecanismo semelhante de repressão nos caracteropatas. Estes sujeitos adotam uma atividade sensorial, motora ou cognitiva — repetitiva e estereotipada — de ciclos curtos, autoimposta artificialmente, aumentando depois sua cadência (recitação de preces, balanços repetitivos e acelerados, rotações, ruídos repetitivos pseudomusicais, etc.), até que ocorra uma paralisia mental maior que o estímulo pela realidade. Desencadeia-se então uma crise somática que pode se manifestar em forma de convulsão (epilepsia, tetania), ataque de insuficiência respiratória (asma) ou cardíaca (hipertensão arterial, taquicardia), etc.

Certos pacientes que sofrem de doença crônica sabem, inclusive, desencadear crises quase voluntariamente para descarregar a excitação proveniente da violência instintual: alguns epiléticos rodopiam sem sair do lugar até desencadear uma crise; asmáticos se submetem a ritmos cognitivos para desencadear sua crise. Esse aspecto é muito interessante na prática, pois explica a possibilidade que certos pacientes encontram de desencadearem ativamente a somatização para evitarem a passagem ao ato e até mesmo, às vezes, o delírio[18].

É preciso considerar também que, uma vez aberta, a via da somatização passa a ser usada mais facilmente do que antes de ter sido aberta, de modo que a somatização pode, aos poucos, passar a funcionar como uma válvula de escape, enquanto que, paralelamente, a sintomatologia psiconeurótica tende a desaparecer.

## Delírio e somatização

Vimos que a clivagem não é monopólio do perverso, ao qual voltaremos mais adiante. Ela pode ser encontrada no caracteropata, no psicótico, no psicopata e no neurótico. A dis-

---

18  C. Dejours. "Le corps érogène entre délire et somatisation", *Psychiatries*, 80-81, 1987, p. 13-20.

tinção entre as estruturas, com referência à terceira tópica, resulta então de dois elementos:

• Onde se encontra a barra da clivagem e qual é a importância do inconsciente amencial em relação ao inconsciente recalcado?

• Que mecanismo(s) de defesa fundamental(ais) o sujeito utiliza, quando há efração da recusa, para lutar contra o rompimento da terceira tópica e tratar as pressões do inconsciente amencial?

A estrutura do paciente depende, em última instância, da resposta à segunda pergunta. Para se defender do efeito de um encontro com a realidade que transpõe a barreira da recusa e atinge a zona de sensibilidade do inconsciente:

• O neurótico põe em latência a percepção e os pensamentos nascidos desta percepção para recalcá-los posteriormente através do sonho.

• O psicótico rejeita a percepção, colocando-a para fora da tópica.

• O psicopata enfrenta a realidade pela passagem ao ato.

• O caracteropata se opõe à sensação, recorrendo à repressão.

Cabe ressaltar que o tensionamento da tópica pela prova de realidade pode não abalar a clivagem na psicopatia e na caracterose. Em contrapartida, a clivagem rompe na descompensação dissociativa e se desloca na crise neurótica.

Poder-se-ia dizer que essa esquematização das estruturas é sempre válida na clínica? Na realidade, constatamos que cada paciente usa um mecanismo defensivo preferencial para proteger sua organização tópica, mas também pode utilizar em menor medida os outros mecanismos, mesmo que seja de forma alternativa ou acessória.

A referência à terceira tópica leva, assim, a questionar o antagonismo fundamental segundo o qual somente as neuroses de caráter e de comportamento (caracteroses) poderiam somatizar, enquanto os neuróticos e os psicóticos "bem mentalizados" estariam protegidos da somatização.

Em nossa opinião, essa afirmação é, *grosso modo*, aceitável, mas sua generalização é equivocada. Na medida em que há clivagem e que a zona de sensibilidade do inconsciente está protegida pela recusa, qualquer estrutura está sujeita a reagir à prova da realidade por uma somatização, uma passagem ao ato ou uma alucinação. Na prática, não é tão raro quanto se diz observar psicoses, mesmo bem organizadas, que sofrem somatizações em algum momento. Aliás, nesses casos, elas acalmam um pouco o delírio. Os neuróticos, por mais bem mentalizados que sejam, também possuem uma zona de fragilidade, tornando possível a somatização. O próprio Freud é um notável exemplo clínico disso. Os psicopatas podem, às vezes, delirar e também somatizar. Por fim, existem caracteroses que podem tanto delirar quanto somatizar (retocolites ulcerativas hemorrágicas, poliartrite reumatoide, asma, psoríase, etc.), e até mesmo alternar delírio e somatização. A passagem ao ato é possível, evidentemente, em qualquer estrutura.

De qualquer maneira, todas as manifestações patológicas resultam da estimulação do inconsciente não recalcado (e da violência que a caracteriza) por um encontro com a realidade que atravessa a recusa que cobre a zona de sensibilidade do inconsciente.

## Perversão e passagem ao ato

Qual é a relação entre a clivagem abordada aqui a respeito de todas as estruturas psíquicas e a clivagem descrita por Freud com referência às perversões? A maior parte das perversões organizadas, na medida em que implicam o desejo e o consentimento entre os parceiros, decorre dos destinos do inconsciente sexual. São as perversões estudadas por Freud, como, por exemplo, o fetichismo, que passa por um jogo sutil entre os amantes. Certas formas de sadomasoquismo[19] pertencem à mesma economia erótica.

---

19   R. J. Stoller (1975). *La Perversion, forme érotique de la haine*, Paris, Payot, 2000; R. J. Stoller (1979). *L'Excitation sexuelle. Dynamique de la vie érotique*, Paris, Payot, 2000.

Outras perversões, em compensação, passam por condutas que não respeitam o desejo ou o consentimento do outro e são praticadas pelo modo da compulsão. Por isso, assemelham-se mais à passagem ao ato do que à perversão *stricto sensu*. No entanto, essas perversões têm em comum com a perversão *stricto sensu* o fato de se desenrolarem preferencialmente no campo sexual. Tais perversões-passagens ao ato que implicam a violência contra o corpo, o mal caracterizado e, não excepcionalmente, o assassinato são mais bem conhecidas por alienistas, psiquiatras, médicos legistas e magistrados do que por psicanalistas[20]. Nesses casos, as condutas perversas demonstrariam, por seu caráter compulsivo, o comprometimento do inconsciente amencial (não recalcado) e, por seu caráter sexual, uma coexcitação sexual oriunda do inconsciente sexual (recalcado). A clivagem, aqui, não diz respeito somente ao eu, mas também ao próprio inconsciente. Ela não corresponderia apenas a uma recusa, por setor, da diferença dos sexos, mas também à erotização da própria compulsão.

O ato perverso visa de alguma maneira a controlar a excitação instintual, não a conservando dentro da tópica, mas canalizando-a regularmente, de acordo com um roteiro estabelecido previamente, para a via da descarga somática erotizada.

O perverso consegue assim se desvencilhar de sua violência sem ter de conhecê-la, uma vez que ele a coloca a serviço do jogo erótico e não do jogo da violência. A violência perversa é especificamente a estratégia que consiste em desviá-la sem recalcá-la, sem pôr em perigo o aparelho psíquico nem a tópica.

Nesse sentido, pode-se reconhecer uma perversão nas estratégias mobilizadas por certos psicóticos, psicopatas e caracteropatas que conseguem encontrar saídas para sua vio-

---

20 R. Krafft-Ebing. *Psychopathia sexualis*, Stuttgart, Ferdinand Enke Verlag, 1912; G.-C. de Clérambault. *La Passion des étoffes chez un neuropsychiatre*, Paris, Solin, 1981; R. J. Stoller. *La Perversion*, R. J. Stoller. *L'Excitation sexuelle*.

lência, sem que o pré-consciente jamais seja informado ou esteja em dúvida. É graças a tal dispositivo que todos esses pacientes podem exercer uma violência notória na vida, reservando aos outros a face humana e sensível do pré-consciente.

Esse ponto é fundamental, pois sugere que, em última análise, como toda estrutura é portadora de uma clivagem, haveria teoricamente um meio de descarregar a violência, em determinadas condições, à revelia do pré-consciente.

Nesta altura do desenvolvimento, convém mencionar outra estratégia defensiva contra a transposição da recusa e a irrupção da violência instintual. Trata-se do uso de psicotrópicos. Aqui, a questão não é mais a defesa mental, comportamental, caracterial nem delirante. O recurso aos psicotrópicos — ansiolíticos, antidepressivos ou neurolépticos — combate especificamente as pressões exercidas pelo inconsciente amencial. A ação farmacológica produz efeito no corpo fisiológico e nas disposições instintuais que tal ação modifica, em geral, como atenuação, sedação ou mais raramente como estimulante (desinibição), às vezes conforme a dose (especialmente para o álcool), outras vezes em função do produto (psicoanalépticos, cocaína, *angel dust*[21], etc.). Todos esses produtos têm em comum a característica de agir sobre as reações compulsivas às estimulações da zona de sensibilidade do inconsciente amencial (não recalcado). Diminuem, assim, a tensão entre o inconsciente recalcado e o inconsciente amencial, desempenhando um papel protetor para a clivagem e a estabilidade tópica. Não será surpresa que o uso de drogas e a dependência, seja ela psíquica ou física, estejam relacionados, sobretudo, com pacientes que possuem um sistema consciente e um sistema pré-consciente de pequena espessura, deixando uma extensa zona de sensibilidade do inconsciente sem proteção contra a realidade (cf. figura 8). Os psicopatas, cuja principal forma de defesa é a passagem ao ato, são, consequentemente, os maiores candidatos às toxicomanias.

---

21 N.T.: Fenciclidina, conhecida como "pó de anjo" (angel dust).

É preciso mencionar aqui, a partir da questão das toxicomanias, as consequências a termo do uso de drogas, medicamentos e das defesas contra a violência que dispensam a perlaboração pelo sonho.

Insistimos no possível caráter "acidental" da transposição traumática da recusa pela realidade, independentemente da estrutura mental considerada. A partir dessa hipótese, é preciso ter em vista as consequências do acidente de descompensação sobre o futuro econômico, a longo prazo, do funcionamento mental. Uma vez a clivagem salva pelo recurso à droga ou por somatização, por exemplo, todo o futuro do paciente pode ser onerado por essa experiência.

De fato, pensamos que, quando essa via é aberta pela descompensação, produz-se uma espécie de linha de fratura que permanecerá inscrita para sempre na terceira tópica, como uma falha indelével. O risco, então, para o paciente — a menos que faça um esforço indispensável para encontrar outras vias além dessa já aberta (por exemplo, por um tratamento psicanalítico) — é ver todo o excesso de excitação provocado pelos encontros posteriores com a realidade ser engolfado pela linha de fratura.

Provavelmente, ter ou não ter descompensado não são situações idênticas, seja qual for a estrutura considerada. Toda descompensação aumenta o risco de uma nova descompensação ou de instalação num modo de funcionamento em que a descompensação absorve de forma crônica uma parte da energia instintual, agora perdida para a vida mental e para o enriquecimento do inconsciente recalcado. Isso poderia ser comparado ao dito médico segundo o qual o sujeito que sofre uma descompensação cardíaca sofrerá outras. Sua capacidade de ação é amputada na mesma proporção. Da mesma maneira, o uso de psicotrópicos abre uma via para o tratamento do inconsciente amencial que cria um precedente e depois atrai a repetição.

## Ontogênese da estrutura

Se, por um lado, ressituamos as diferentes estruturas numa tópica unitária, distinguindo-as apenas pela posição da barra da clivagem e pelos mecanismos preferenciais de defesa contra a prova de realidade, por outro lado, ocorre que cada sujeito atribui um papel privilegiado à forclusão, por exemplo, em detrimento da passagem ao ato ou da repressão.

A referência ao papel desempenhado pelo encontro intersubjetivo na descompensação, como assinalamos anteriormente, sugere que a escolha da defesa organizadora não é independente dessa relação.

A origem dessa escolha deve ser buscada na economia familiar. D. Braunschweig e M. Fain forneceram uma análise detalhada da constituição da recusa na criança, a partir do que os dois autores denominam "identificação com a mãe na comunidade da recusa"[22]. Quando a criança corre o risco de encontrar na realidade certas provas que não foram simbolizadas pela sua própria mãe, ela recebe desta um modelo a ser adotado a sua maneira, não só porque esse recurso é simples, mas também porque, ao renunciar ao jogo dessas interrogações, protege sua própria mãe da descompensação.

Independentemente da modalidade defensiva preferencial, a clivagem, nessa concepção, *não é vista, portanto, como um mecanismo de defesa específico. Ela é apenas o resultado final, no plano da estrutura, dos outros mecanismos defensivos.* A clivagem é um conceito topológico e não um conceito dinâmico.

Com a terceira tópica, exploramos as diferentes manifestações do inconsciente não recalcado em relação às descompensações nas principais estruturas. Por isso, enfocamos somente os mecanismos destinados a proteger a clivagem dos riscos de descompensação, deixando para mais adiante a análise de outras saídas para a violência, fora das descompensações. Isso será tratado no capítulo seguinte.

---

[22] D. Braunschweig, M. Fain. *La nuit, le jour*. Essai sur le fonctionnement mental, Paris, PUF, 1975.

## CAPÍTULO V

# A pulsão de morte

## As teorias das pulsões

Na primeira teoria das pulsões, Freud propõe distinguir dois tipos fundamentais: as pulsões sexuais e as pulsões de autoconservação. O conflito entre esses dois contingentes de pulsões é irredutível e deverá permear toda a existência do homem. Nas implicações lógicas dessa teoria, há muitas questões que ainda carecem de resposta e cuja dimensão encontraremos nas Atas do Colóquio sobre Psicanálise e Biologia[1]. Seja como for, supõe-se que as pulsões sexuais indicariam a via do prazer sem levarem em conta os eventuais perigos a que elas exporiam o sujeito. As pulsões sexuais sugerem, sobretudo, uma trajetória voltada para o objeto, condição que as opõe radicalmente ao egocentrismo fundamental das pulsões de autoconservação. Por outro lado, nessa época, Freud admite que as pulsões de autoconservação são herdadas da filogênese[2].

Por que Freud teria sentido a necessidade de elaborar ou-

---

1   F. Gantheret, J. Laplanche, S. Leclaire. "Biologie et psychanalyse", *Psychanalyse à l'université*, 7, 1982, p. 533-560.
2   S. Freud, *Trois essais sur la théorie sexuelle*, 1907.

tra teoria das pulsões a partir de *Além do princípio de prazer* se não fosse precisamente para identificar as forças que resistem à análise e se opõem ao sucesso do tratamento psicanalítico? A compulsão à repetição não é da alçada da investigação dinâmica. Esta resulta diretamente da investigação econômica. Alguns autores insistem, justificadamente, em apontar os motivos inconscientes de Freud e a etapa de sua trajetória criativa na qual ele introduz a teoria da pulsão de morte[3]. Com efeito, nessa época, Freud é acometido por um câncer de mandíbula, e, de fato, a pulsão de morte não pode ser compreendida sem referência à somatização, mesmo que Freud não mencione isso explicitamente. Mas ele alude claramente a esse fato nas suas metáforas biológicas e na função desorganizadora do sujeito veiculada pela pulsão de morte.

Assim, o conceito de pulsão de morte convida a uma investigação da clínica não neurótica, algo que o próprio Freud não fez. Para seus contemporâneos e para muitos de seus sucessores que se dedicam unicamente à clínica da neurose, a pulsão de morte aparece como um conceito bastante incômodo. Alguns chegam a renunciar a ele abertamente. Aqueles que optaram pela ortodoxia, com essa exigência que Freud manteve até o fim de sua obra de fazer referência à pulsão de morte, procuraram, com um sucesso medíocre, por sinal, perceber suas manifestações na clínica da neurose. Mas, em geral, os resultados se limitam a detectar a pulsão de morte apenas na tendência à repetição à qual estão expostos todos os pacientes, inclusive os neuróticos.

Em contrapartida, para quem se aventura fora do campo da neurose, a pulsão de morte se torna uma referência ineludível. No âmbito da psicossomática, é conhecida a importância que Marty outorga a esse conceito[4]. No entan-

---

3   J. Le Beuf, "Au-delà des névroses actuelles", communication à la Société Psychanalytique de Montréal, avril 1976.
4   P. Marty, *Mouvements individuels de vie et de mort*, Paris, Payot, 1976.

to, como aponta Braunschweig[5], a teoria de Marty pode ser considerada fundamentalmente monista em relação às pulsões. A desorganização psicossomática não se inscreve, em última análise, senão como negativo da pulsão de vida, não tendo existência própria nem natureza específica. Persiste ali uma ligação de proporcionalidade entre pulsão de vida e pulsão de morte que consiste em conceber apenas uma única pulsão fundamental cujos movimentos marcam, em um sentido, efeitos de organização e de vida e, no outro sentido, efeitos de desorganização e de morte.

Se levarmos adiante a descrição da terceira tópica, constataremos sem dificuldade a heterogeneidade fundamental das duas partes do aparelho psíquico. Inconsciente sexual e pré-consciente seriam o lugar de circulação e de funcionamento da pulsão de vida, da libido, de Eros. Em contrapartida, o inconsciente proscrito (ou amencial) seria o reservatório de um potencial mortífero, na medida em que lidaria com movimentos reativos e comportamentos de uma ordem diversa daqueles do inconsciente sexual. Esses movimentos reativos e comportamentos não resultam de nenhum recalque, de nenhuma transformação por um processo mental. As regras de funcionamento do inconsciente amencial não têm nada a ver com aquelas do inconsciente sexual. Suas manifestações sempre são marcadas pela urgência de uma descarga, pelo caráter estereotipado e compulsivo de suas atualizações (que se identifica exatamente com a compulsão à repetição) e pela conotação de violência que subjaz a todos seus comportamentos, violência esta que é o resultado inevitável do fato de que o inconsciente amencial reage sem pensamento, portanto, sem ligação e mesmo como atualização de um princípio de des-ligamento dirigido para a confusão (*amentia*).

Entende-se que, então, não haveria continuidade possível da necessidade ao desejo, nem do instinto à pulsão. Nesse sentido, concordamos com o ponto de vista desenvolvido

---

5  D. Braunschweig, "Psychosomatique et psychanalyse", *in* M. Fain, C. Dejours, *Corps malade et corps érotique*, Paris, Masson, 1984, p. 116-122.

por Lacan⁶. Os dois contingentes ficam separados para sempre pela clivagem.

Visem as manifestações do inconsciente amencial à destruição do objeto, à desestruturação do aparelho psíquico ou à desorganização das regulações biológicas, constata-se que são sempre figuras da pulsão de morte.

Em outras palavras, o inconsciente amencial se manifestaria como força de morte, exceto se essas manifestações puderem ser retomadas em doses leves pelo pré-consciente graças à colocação em latência, o que apenas os neuróticos conseguem realizar habitualmente. As outras estruturas somente o conseguem com menor regularidade ou apenas ocasionalmente.

O inconsciente sexual, ao contrário, manifesta-se pelos retornos do recalcado com uma calma relativa em comparação com o que acontece do outro lado da clivagem. Do lado do pré-consciente, as manifestações do inconsciente não são destrutivas, e sempre existe a possibilidade de retomar as coisas pela via do sonho ou do recalque organizador.

O jogo do desejo, que aqui se situa na ordem do representado e do simbolizado, dá acesso ao corpo erótico, às relações objetais e ao erotismo, isto é, à pulsão de vida. O reinado do sonho e do recalque sobre essa parte da vida mental se traduz no enriquecimento progressivo do inconsciente sexual e num efeito de organização sobre o aparelho psíquico. Organização, capitalização das experiências vividas e construção da história singular do sujeito: este é o registro específico de Eros e da pulsão de vida, não compulsiva, não repetitiva e organizadora do vivente.

A lógica de nosso desenvolvimento nos conduz, assim, à conclusão de que a primeira teoria das pulsões de Freud, que distingue pulsões de autoconservação e pulsões sexuais (leia-se sexualidade psíquica, corpo erótico e desejo), é, de

---

6   J. Lacan. *Les Quatre Concepts fondamentaux de la psychanalyse* (1964), Paris, 1973; J. Lacan. *Les Formations de l'inconscient. Séminaire 1957-1958. Livre V*, Paris, Seuil, 1973.

fato, a mesma que a segunda, que distingue entre pulsão de vida e pulsão de morte. Tratar-se-ia de duas formulações diferentes, correspondentes a duas etapas do desenvolvimento teórico da psicanálise, sendo a última teoria muito mais ampla, efetivamente, do que a primeira.

Se admitirmos essa equivalência das duas teorias, não poderemos deixar de observar um paradoxo fundamental que foi possivelmente insuperável para Freud: o que se inscrevia logicamente como autoconservação na primeira teoria torna-se força de morte na segunda. Isso parece inconciliável.

Pode-se tentar interpretar esse paradoxo. Anteciparemos aqui, resumidamente, apenas alguns pontos de uma discussão que retomaremos mais explicitamente na conclusão. A solicitação, pelo encontro com o outro, da zona de sensibilidade do inconsciente e, através dela, do inconsciente não recalcado, traduz-se, antes e acima de tudo, no risco da experiência do vazio, da insensibilidade e do apagamento da vida em si (solicitação de partes do corpo que foram excluídas, durante a infância, da subversão libidinal pela violência exercida pelo adulto contra a capacidade de pensar da criança). O risco psíquico, pela desestruturação do pensamento e do eu, é a experiência da confusão (*amentia*).

A perspectiva dessa espiral deletéria gera a angústia, que assume então a forma de um desassossego, de um terror interno e até de um estado de pânico. A luta definitiva contra a desorganização e a confusão, embora ainda seja possível, só pode se manifestar — na ausência do trabalho do pensamento — por meio de comportamentos compulsivos e da raiva (veremos, nas conclusões, as relações entre essa raiva e os comportamentos conduzidos pelo instinto e o apego). Nesse estágio, o sujeito experimenta a compulsão. Esta é uma figura embrionária da violência. A violência só adquire sua forma final quando a compulsão é aumentada e replicada pela coexcitação sexual, isto é, quando a excitação oriunda da raiva, experimentada como uma derradeira conjuração do risco do vazio, é substituída pelo prazer sexual de experimentar uma excitação que retorna aumentada em si no contato violento com o corpo do outro. O sujeito se volta contra o outro porque é devido à própria presença desse outro que ele experimenta subitamente a progressão aterrorizante do vazio nele mesmo. E é graças à violência contra o corpo do outro que ele consegue sentir novamente a excitação nele mesmo, afastando, assim, o espectro da morte psíquica. Isso permite o desencadeamento e o incremento de um estado de êxtase e de gozo pela contribuição fantasmática à potência reencontrada. Na perspectiva da terceira tópica, a solicitação do inconsciente amencial não provoca, inicialmente, a violência, mas a desorganização do pensamento. O desencadeador é o medo do vazio interior, o medo da morte afetiva. A raiva compulsiva é uma reação desesperada de fuga. A sua erotização é o que a transforma em violência.

Nesse processo reativo, reencontra-se a dimensão da autoconservação: a luta contra a morte em si, contra a experiência aterrorizante do corpo que se furta a si mesmo, da subjetividade que se ausenta, ou, ainda, da dessubjetivação. Mas, em última instância, a solicitação do inconsciente amencial se traduz numa reação mortífera, seja contra o eu (dessubjetivação), seja contra o outro (erotização da raiva). Reencontram-se aqui as duas formas tradicionalmente tematizadas da pulsão de morte: por um lado, a desorganização e o desligamento, e, por outro, a violência.

Se os instintos de autoconservação estão a serviço da vida animal, no homem, também, eles constituem a fonte energética fundamental, de modo que a autoconservação se revela bivalente: veicularia a morte quando desencadeia uma reação compulsiva em resposta à ameaça de privação ou de separação; e veicularia, ao contrário, um "princípio vital" quando, por intermédio da subversão libidinal, cede sua energia à pulsão de vida, que, sendo integralmente psíquica, não poderia conter sua própria fonte de energia. A vida afetiva e erótica do homem se constituiria por uma luta contra a atualização da autoconservação, desviando em benefício próprio a energia que extrai das forças instintuais. Esse processo foi descrito no início deste livro com o uso da metáfora do moinho. A contrapartida desse processo extraordinário que é a subversão libidinal é o fato de deixar atrás de si, em todo sujeito, resíduos instintuais não subvertidos (cujas relações com o instinto de apego veremos na conclusão), na proporção daquilo que, nas funções fisiológicas, foi excluído da subversão pela violência parental. Mas a subversão libidinal, mesmo inacabada, altera a ordem natural, desnaturalizando profundamente o homem. O resíduo instintual se sedimenta sob a forma do inconsciente não recalcado. No homem, o instinto não pode mais se fazer conhecer como instinto. Ele é desnaturado. Quando se manifesta na ordem erótica, assume a forma da pulsão de morte. Eis a contrapartida tópica da subversão libidinal (se esta não encontrasse limite, o homem poderia se igualar a Zeus e aspirar à imortalidade).

## Destinos "não patológicos" da pulsão de morte

Já mencionamos repetidas vezes a perversão em relação à terceira tópica. Precisamos voltar a ela mais uma vez para diferenciar outros destinos do inconsciente amencial que não se situam no registro da patologia nem aparecem como pulsão de morte. Apenas um destino foi apresentado para caracterizar o funcionamento da estrutura neurótica, a saber, a colocação em latência da percepção e dos pensamentos que dela derivam quando a prova de realidade não tem um caráter traumático e a excitação pode ser momentaneamente retida em vez de ser imediatamente descarregada. Tal processo complexo de perlaboração que se completa no sonho consiste, então, para os neuróticos, em não trapacear com o inconsciente amencial e suas emergências, esforçando-se, ao contrário, para encontrar meios de negociar com a sua violência para, finalmente, integrá-la de forma progressiva. Assim, os neuróticos aceitam contestar a clivagem fundamental e conseguem deslocar progressivamente a barra de separação entre os dois setores de seu aparelho psíquico. Cabe assinalar aqui que o neurótico é o mais apto a proceder desse modo, mas que não é o único a fazê-lo. Os outros pacientes, mesmo com estruturas diferentes, também conseguem, às vezes, fazer como os neuróticos, embora isso seja mais difícil.

Inversamente, o neurótico também pode, às vezes, recorrer à passagem ao ato ou à repressão. Nestas ocasiões, ele se aproxima das outras estruturas mentais, e pode-se dizer que "se arranja" sem muito esforço com sua violência, da qual se redime à revelia do pré-consciente. Em menor ou maior medida, e em virtude das modalidades diversas que abordamos no capítulo IV, todas as estruturas possuem um meio de jogar com sua violência protegendo o desconhecimento dessa fragilidade fundamental denominada zona de sensibilidade do inconsciente.

É possível considerar cinco destinos não patológicos da pulsão de morte: a perlaboração pelo sonho, a relação de dominação, o amor, a realização pulsional pela percepção e a sublimação. A perlaboração pelo sonho já foi abordada; não a retomarei aqui. A relação de dominação será analisada na conclusão. A relação de amor demandaria, para a sua abordagem, um longo desvio pela análise do narcisismo, mas esta não pode ser incluída aqui[7]. Tratarei, então, dos dois últimos.

### A REALIZAÇÃO PULSIONAL PELA PERCEPÇÃO

Trata-se de um destino muito frequente da pulsão de morte que não tem "boa fama", embora sua função econômica seja provavelmente muito importante. A realização da pulsão de morte pela percepção é frequentemente exercida na

---

7  Sobre este ponto, ver C. Dejours. "Psychanalyse et morale sexuelle", *in* S. Bateman, *Morale sexuelle*, Actes du Séminaire du CERSES-CNRS, volume 2, Paris, 2001.

esfera profissional, mas também se manifesta às vezes em outras situações da vida privada não tão fáceis de flagrar. O paciente se engaja profissionalmente, de uma forma um pouco particular, em uma atividade que o coloca todos os dias em contato com o horror ou o sofrimento. O ofício e o status social funcionam como álibis de um gozo secreto extraído da percepção de certas situações atrozes. Encontram-se numerosos exemplos entre profissões em torno de frigoríficos e açougues, necrotérios, institutos médico-legais e outras atividades fúnebres, forças armadas, polícia, outras milícias, etc. Com frequência, essas pessoas levam de alguma forma uma vida dupla que reproduz fielmente o duplo funcionamento psíquico separado pela barra da clivagem. Durante a jornada de trabalho, exercem seu sadismo sem limite e, quando voltam para a casa, parecem ser as pessoas mais pacíficas, as mais amáveis e as mais sensíveis que possam existir. É como se sua vida afetiva, sua sexualidade psíquica e seus derivados se desenrolassem à revelia de sua violência, provavelmente graças ao exercício de sua pulsão de morte em outros lugares e em outros momentos.

Tratar-se-ia, de alguma maneira, de uma passagem ao ato permanente e tranquila, no dia a dia, perfeitamente policiada e de total boa-fé. Em geral, esses sujeitos não se sentem absolutamente culpados por seu sadismo, pois este se exerce à margem do pré-consciente, do pensamento e da culpabilidade.

Às vezes, tal estratégia de realização pulsional é desconcertante, pois tanto preserva a clivagem quanto protege o jogo calmo do pré-consciente, que permanece resguardado. É assim que, atualmente, durante as guerras ou em certos países, muita gente participa ativamente de atos de violência, sadismo e até tortura, e, depois, ao voltar para a casa, comporta-se sinceramente como os melhores esposos e pais, com a maior inocência. Trata-se aqui de uma sorte de "perversão normal". Os criminosos nazistas deram numerosos exemplos dessa clivagem a ponto de clamarem por sua inocência, até mesmo em seus processos por crimes de guerra, com a maior sinceridade. As formas menos caricatas dessa clivagem são possibilitadas em uma infinidade de situações sociais.

No entanto, exporemos uma situação peculiar que oculta habilmente sua função e reveste uma importância considerável em matéria de psicanálise. Todos aqueles que escolhem trabalhar com doentes mentais são *a priori* suspeitos de aproveitarem essa ocasião para satisfazerem seu sadismo com a consciência tranquila. Nomeadamente aqueles que tratam doenças crônicas, com ciência mais ou menos explícita de que tais doenças não têm cura. Isso coloca um problema muito grave na prática, pois muitos "profissionais da saúde" buscam junto aos pacientes uma oportunidade de satisfazerem sua pulsão de dominação e não de lutar contra ela. O resultado disso é que, inconscientemente, não procuram curar os doentes, mas "acompanhá-los" em seu sofrimento para fruírem passivamente do espetáculo. É aí que se encontra — principalmente nos hospitais psiquiátricos, mas possivelmente não só nesses espaços — o principal obstáculo para uma transformação institucional que visaria não à criação de "espaços de vida" para os pacientes, mas verdadeiras estruturas de cuidados. A mesma dificuldade se encontra, às vezes, no trabalho psicoterápico, entre terapeutas que não adentraram ou não avançaram o suficiente em sua análise pessoal para abalar sua própria clivagem. Infalivelmente, o resultado disso é que as psicoterapias também não atingem a clivagem dos pacientes. Isso quer dizer que, nesses casos, não se pode falar de psicanálise, mas, antes, de identificação na comunidade da recusa[8].

Comparamos anteriormente a "realização pulsional pela percepção" à passagem ao ato. Pode-se objetar, sem dúvida, que muitas dessas realizações são sublimações. Antes de considerar as diferenças entre a realização pela percepção e

---

8  D. Braunschweig, M. Fain. *La nuit, le jour. Essai sur le fonctionnement mental*, Paris, PUF, 1975.

a sublimação, é preciso proceder à elucidação do mecanismo em funcionamento na primeira.

Para dizer verdade, a realização pela percepção não é similar à passagem ao ato. É a forma invertida desta. A passagem ao ato é uma reação brutal do sujeito à prova de realidade. O *primum movens* do processo que conduz à passagem ao ato é a estimulação do inconsciente amencial pelo encontro com a realidade. A percepção da realidade transpõe a barreira da recusa e atinge o inconsciente no nível da zona de sensibilidade. Na realização pela percepção, trata-se do processo inverso. É o sujeito que, submetido à pressão instintual proveniente do inconsciente amencial, busca intencionadamente uma oportunidade de descarga satisfatória. O inconsciente amencial está fora do alcance de seu pensamento, de modo que o sujeito busca no exterior, na realidade, uma *situação* que dê à moção instintual, de alguma maneira, a *forma* que lhe falta. Essa forma, essa Gestalt, é então fornecida a partir do exterior pela *percepção* de uma situação adequada a sua necessidade. No lugar de uma *representação* mental, o sujeito se serve de — e se contenta com — uma *percepção* que forneça a satisfação. É comum encontrar esse processo nos sujeitos com um "falso self" compensados (cf. capítulo IV, figura 6). Não é raro que esses pacientes dediquem uma parte importante de sua vida a buscar na realidade situações novas, experiências que lhes forneçam percepções adequadas, capazes de dar um continente e uma forma à violência clivada desses sujeitos. Assim ganham sentido muitos comportamentos frenéticos de hiperatividade. Ali onde os psicossomatistas não veem, geralmente, mais do que o aspecto econômico desse frenesi de ação, identificando a função de descarga no caso do sujeito estruturado em neurose comportamental, talvez seja possível descobrir um sentido oculto: a busca de situações especificamente adaptadas e capazes de se sintonizar com as moções provenientes do inconsciente não recalcado.

Foi devido a esse recurso à percepção que demos a essa estratégia o nome de satisfação pela percepção. Ela se caracteriza por permanecer no nível da percepção e da descarga prazerosa, sem atingir o nível da representação mental, que implicaria sua assunção pelo pré-consciente e, portanto, o risco do surgimento de um conflito.

## A SUBLIMAÇÃO

À diferença da satisfação pela percepção, a sublimação se serve também do inconsciente recalcado, sendo *uma das principais formas de ligação pulsional*. A sublimação envolvida na criação artística, na pesquisa científica e na vida religiosa, segundo Freud, estabelece uma relação específica entre o inconsciente e a realidade que passa diretamente da pulsão a uma obra socialmente reconhecida como boa, sem passar pela etapa erótica.

A distinção entre a sublimação e a realização pela percepção passa pela natureza da percepção buscada. Com efeito, tanto na sublimação como na realização pela percepção, o processo não chega à representação mental interiorizada. A satisfação pulsional é obtida em ambos os casos por uma percepção.

Mas a sublimação — a sua especificidade é essa — passa pela *criação da forma a ser percebida pelo próprio sujeito*, enquanto na realização pela percepção o sujeito sai em busca de uma forma já existente na realidade. Assim, o criador age sobre a realidade não apenas para conhecê-la, mas para enriquecê-la com uma nova forma que não existia até então. Mesmo que a satisfação utilize diretamente o inconsciente para a criação da forma a ser percebida — o quer dizer que a obra da sublimação não é equivalente a uma representação mental —, a sublimação não é um processo totalmente isolado do pré-consciente. Aquilo no que trabalham o artista ou o artesão não é causa de um gozo à revelia. Aliás, eles não se inclinam a fruir desse trabalho sem limites. Precisam da autorização ou da aprovação dos outros para não duvidarem da legitimidade de sua obra. Nesse sentido, a obra sublimatória tem uma função de compromisso que a percepção do perverso ou seu gozo não têm. A inadequação entre a forma criada e o gozo sempre incompleto do artista abre a porta para a sublimação ao fazê-lo perceber também a falta. Assim, sob a pressão da recorrência da falta, o artista precisa retomar sua obra, persegui-la e fazê-la evoluir. Essa perda de equilíbrio permanente e a tentativa de restabelecê-lo, que engendram um processo evolutivo, relaciona a sublimação a um reconhecimento pré-consciente da falta e da angústia de castração. A retenção da excitação que faz o artista sofrer e evoluir — em outras palavras, a sua angústia — o obriga a renegociar sempre com o inconsciente não recalcado, ou seja, com aquilo que o impele a trabalhar, mas que ele não pode pensar (por falta de recalque).

Além disso, para atingir esse status, a obra criativa precisa escapar à compulsão, pelo menos parcialmente. O percurso evolutivo da sublimação se opõe à repetição da perversão. A obra compulsiva não evolui e não garante nenhuma função econômica duradoura, como se observa em muitos doentes mentais que criam durante um curto período, mas que não conseguem prosseguir. A sublimação, ou melhor, a obra, na medida em que requer a continuidade do processo, conjura as características da pulsão de morte para as quais é encarregada de encontrar uma saída: repetição, compulsão e violência materializadas foram efetivamente *sublimadas* pela criação. É isso que designamos, na teoria, por mudança de *meta* da pulsão, sem a qual não há sublimação propriamente dita. A satisfação pela percepção, ao contrário, limita-se, no máximo, à mudança do *objeto* da pulsão. É esse aspecto que determina as formas de passagem de uma à outra.

Antes de concluir sobre os destinos "normais" da pulsão de morte, cabe esclarecer que, mesmo que todos sejam adaptados à vida social, nem todos têm o mesmo valor em termos de funcionamento mental.

A satisfação pela percepção, por mais "normal" que seja no campo social, opera à sombra da clivagem e a protege em troca, com a bênção da sociedade. Esse destino da pulsão de morte se situa, na verdade, entre a passagem ao ato, de um lado, e a sublimação, do outro. E, na clínica, é preciso ter muito cuidado para detectar seu teor exato. Com efeito, é nesse setor que os investimentos sofrem a maior parte das mudanças no curso da análise, uma mesma atividade podendo, em determinado momento, ser praticada conforme o modo do gozo próprio da passagem ao ato e, em outro, dar lugar a um reajustamento da postura do paciente, que, sem renunciar a se implicar nesse setor de atividade, nele passa a intervir de um modo totalmente diferente que o assemelha à sublimação.

## Violência e agressividade: a pulsão de morte tem um objeto?

O que interessa ao psicanalista, aquilo com o que é confrontado na clínica, não se situa no plano do instinto. Certamente, ele deve enfrentar as emergências erráticas daquelas pressões relacionadas com sua origem instintual, mas deve trabalhar, sobretudo, com as expressões transformadas do instinto, cuja forma clínica comum é a satisfação pela percepção e cujo substrato é a pulsão de dominação.

Evidentemente, existem pacientes que escolhem por objeto alguém que possam de fato manipular, chegando até mesmo a impeli-lo, às vezes, claramente para a morte. Não se trata, sem dúvida, apenas dos assassinos, mas também daqueles que, por crueldade, encurralam seu cônjuge ou seus filhos, levando-os à destruição, à exaustão, à doença mental, à loucura ou à doença somática.

Nesses casos, o paciente nunca manifesta (ou manifesta tão raramente que não se chega a perceber) a menor simpatia pelo outro, a menor identificação com aquele a quem faz sofrer. Tanto é assim que essa característica tem valor diagnóstico, um valor ainda maior que as manifestações reais ou confessas de violência. E, se os pacientes podem ocultar do analista sua violência, raramente conseguem lhe comunicar uma angústia empática autêntica em relação ao objeto que sofre ao lado deles. Essa falta de empatia e de identificação do sujeito sempre deve sugerir que o sofrimento do objeto *relatado pelo sujeito* é o resultado de seu comportamento sádico ou persecutório. Em outras palavras, sua insensibilidade marca a implicação do inconsciente clivado no sofrimento do outro.

Um equivalente dessa estratégia da violência pode ser encontrado na ausência de compaixão ou de empatia manifestada pelos sujeitos clivados que usam, *larga manu*, a satisfação pulsional pela percepção.

É sempre no âmbito da ausência de identificação empática que se pode descobrir a forma mais banal de relação com "o objeto da pulsão de morte". Trata-se de pacientes que estabelecem com o objeto uma *relação branca*. Esta relação é vazia, o sujeito não manifesta nenhum interesse pelo modo de funcionamento mental do outro. A relação fica reduzida a sua expressão mais simples, e, geralmente, o paciente não é capaz de dizer nada sobre ela, tampouco consegue falar do outro, nem torná-lo vivo para seu interlocutor. Esse modo relacional poderia sugerir uma pobreza mental do sujeito ou simplesmente levar a supor que se trata de uma relação branca por não ser investida. Aparentemente, não há nenhuma manifestação apaixonada, e aí está a armadilha. Enquanto o paciente parece viver ao lado do outro sem que haja algo relevante entre eles, é surpreendente constatar ao mesmo tempo sua incapacidade de prescindir da presença desse outro. Desse outro que, geralmente, não está ali apenas para prestar serviços materiais, mas justamente para padecer o jugo do silêncio, da neutralidade e da anulação psíquica e afetiva. O outro está ali para suportar o destino que o paciente lhe reserva. Se o outro ousar reagir ou se manifestar, o paciente se tornará subitamente violento, ou dará mostras de reações claramente desproporcionadas que sinalizam a importância, para ele, da paralisia do objeto. Nessa prisão afetiva, o objeto é a prova de um poder espantoso exercido pelo sujeito, não sem um gozo, pouco visível certamente, mas cuja privação lhe é intolerável.

No trabalho analítico, abordar esse tipo de relação é, por via de regra, assustador. Porque o paciente faz o analista padecer a mesma sorte. Ele vem a cada sessão, mas não pronuncia nenhuma palavra, ou então fala aparentemente sem reservas, mas de modo a deixar o analista sem o que dizer, fazendo-o experimentar uma sorte de impossibilidade de intervir. E, se por ventura se arriscar a intervir, o analista percebe que suas intervenções não têm absolutamente nenhum impacto. O analista é neutralizado em seu funcionamento pelo paciente, o que é muito penoso[9]. Essa é a primeira versão da relação branca estruturada para conter a pulsão de morte.

Há uma segunda que é ainda mais engenhosa, visto que, em geral, passa despercebida. Trata-se de pacientes que, na análise, demonstram um funcionamento mental totalmente satisfatório. É somente graças a uma grande perspicácia que o analista, desde que se interrogue, constata, depois de um longo período, que uma associação do paciente nunca conduz a qualquer personagem que se deveria legitimamente encontrar com frequência na análise em função de seu lugar em relação ao paciente. Esse paciente traz muita gente para a cena analítica, mas nunca faz alusão a seu cônjuge ou a um de seus filhos. É aí que se esconde a relação branca, e todo o resto que, entretanto, ocupa confortavelmente as sessões não passa de floreios em relação à organização mental geral do paciente. Com efeito, o elemento essencial na economia de um paciente desse tipo é o fato de fazer com que o cônjuge absorva a parte clivada de seu inconsciente;

---

9   C. Dejours. "Violence et somatisation (deux techniques dans le traitement psychanalytique des maladies somatiques", *in* A. Amyot, J. Leblanc, W. Reid. *Psychiatrie-Psychanalyse*, Montréal (Québec), Gaëtan Morin, 1985, p. 119-138; M. Enriquez. "Intervention", *Topique*, 30, 1982, p. 80-85; M. Enriquez. "L'analysant parasite", *Topique*, 23, 1979, p. 37-54.

graças a essa relação, o paciente mantém um funcionamento aparentemente neurótico com os outros e com o analista que pode durar anos. Diante disso, a análise é mais ou menos inútil e ineficaz, porque não atinge a clivagem. Pode inclusive contribuir para reforçá-la, situação extrema que, no entanto, não é raro encontrar.

A terceira fórmula da relação branca é ainda mais oculta. O analista é quem, na transferência, torna-se o objeto da pulsão de morte, mas não como na primeira versão, onde se manifesta às claras. Neste caso, o paciente segue aparentemente uma análise correta. Mas o conjunto do material — tão rico quanto possa ser, chegando até, às vezes, a impressionar por um funcionamento neurótico exemplar — é trazido sem nunca implicar o analista, que, sem se dar conta, assiste à análise sem sentir nada. Sua contratransferência é tão branca quanto a transferência. Porém, geralmente, ele não percebe, porque se sente demasiado gratificado pelo prazer de interpretar que esse paciente exemplar oferece em troca.

Essa forma de clivagem é perigosa, pois nada se modifica em sua essência, enquanto o analista acredita ter trabalhado bem, até o momento em que, brutalmente, sem mais nem menos, o paciente lhe comunica ter cometido uma passagem ao ato desastrosa e incompreensível; ou então começa a delirar; ou ainda entra em colapso de forma brusca, derrotado por uma doença somática grave, numa recaída da qual se acreditava que estivesse livre há muito tempo. E, se não surgirem esses desapontamentos para romper a rotina, o risco é que o paciente se aferre freneticamente a essa falsa relação com o analista. Por não ter sido analisada, essa relação só pode gerar uma análise interminável[10].

Após essa incursão pela figura insólita da pulsão de dominação que a relação branca concretiza, é possível voltar

---

10 C. Dejours. *L'évaluation analytique du passé psychanalytique, séminaire de perfectionnement de la Société psychanalytique de Paris*, Paris, Institut de Psychanalyse, 1998, p. 22-31.

aos pacientes cuja violência é manifesta, pois há circunstâncias nas quais eles conseguem enganar tão bem quanto aqueles que praticam a relação branca. Trata-se tanto do paranoico quanto do esquizofrênico, do alcoólatra ou de qualquer estrutura em crise que exerça sua violência contra o outro. Acontece, de fato, que alguém, alarmado pelo comportamento perigoso do paciente, finalmente se posicione em face da sua violência. Esse posicionamento corajoso pode às vezes levar à hospitalização do doente em um sistema fechado. Certos pacientes mudam bruscamente de comportamento e, em geral, de forma rápida. O paranoico se mostra encantador; o delinquente passa a impressão de ser uma criança inofensiva; o alcoólatra lamenta por seus atos e dá mostras de uma sociabilidade excepcional com os outros pacientes, chegando a ajudá-los quando precisam, principalmente as pessoas idosas. Seu discurso é mais ou menos elaborado e matizado em função do grau de desenvolvimento da parte não clivada do self (inconsciente recalcado — pré-consciente). O psicanalista se apressou em prestar atenção somente ao discurso positivo do paciente, negligenciando aquele do qual teve conhecimento pelo exterior, mas que quer ignorar em nome da retidão técnica da psicoterapia. Ao fazê-lo, ele negligencia um elemento essencial, aquele que diz respeito ao setting e às circunstâncias reais nas quais presta atendimento ao paciente. A pulsão de morte encontra aqui um interlocutor sólido representado ou pela instituição de cuidados, ou pelo ambiente que resolveu agir contra a violência do paciente. Essa interlocução é suficiente, com frequência, para restaurar a clivagem, ao dar ao paciente a liberdade de funcionar doravante de acordo com os sistemas inconsciente recalcado — pré-consciente. Compreender-se-á certamente a importância clínica que sempre deve ser dada às circunstâncias externas reais nas quais se situa a demanda de atendimento, principalmente quando o discurso do paciente é calmo, pacifista e policiado.

É assim que certos pacientes alcoólatras, por exemplo, podem entrar em estado de embriaguez para, em seguida, bater na mulher e nos filhos, descarregar sua violência, e, na manhã seguinte, estar perfeitamente calmos e até atenciosos com seus familiares. Esse sistema cria uma temível confusão, principalmente nas relações com as crianças, que não conseguem se situar em face de um pai que, à noite, funciona com a pulsão de morte e, pela manhã, com a pulsão de vida. Na maioria das vezes, os danos mentais são trágicos para as crianças, como mostra a clínica cotidiana dos ambulatórios, hospitais e outros centros de saúde.

Essas reflexões conduzem a considerar o valor funcional do objeto da pulsão de morte. Com efeito, se certos pacientes buscam objetos para exercer sua dominação, o dispositivo assim mobilizado pode ser eficaz em relação à clivagem, ao ponto de proteger com sucesso o paciente da descompensação. Essas reflexões também colocam problemas diagnósticos e técnicos, visto que, nessas condições, o analista corre o risco de se encontrar diante de pacientes que impressionam por uma estrutura neurótica que, na verdade, eles não têm; isso implica o perigo de se engajar em um projeto terapêutico que, no melhor dos casos, não servirá para nada e, na pior das hipóteses, desestabilizará a clivagem, desencadeando uma descompensação que não teria ocorrido sem a análise.

Essas diferentes configurações clínicas serão retomadas na conclusão na perspectiva das "pseudoalianças por exclusão". Particularmente difíceis de identificar, elas são mais facilmente perceptíveis se for adotada a referência a uma tópica da clivagem e se, por princípio, for sistematicamente buscada a expressão do inconsciente amencial (não recalcado).

## CAPÍTULO VI
# Psicanálise, psicoterapia e psiquiatria

As implicações desta abordagem são importantes na prática, pois sugerem que o trabalho psicanalítico não deveria se limitar à análise dos conflitos intrapsíquicos sustentados pela libido, deixando incompreensível o que foge desse registro. O tratamento psicanalítico deveria trabalhar não somente sobre a libido, mas também sobre a pulsão de morte, o que, obviamente, complica significativamente as coisas. Não se trata, com efeito, de simplesmente reconhecer a existência da pulsão de morte no plano teórico e de assistir passivamente aos seus efeitos no campo da clínica, considerando que não se possa fazer mais nada além de constatá-la. Nossa posição considera, justamente, que a pulsão de dominação e sua clivagem em relação à pulsão de vida são um desafio possível da análise e, até mesmo, que não há análise sem trabalho sobre o objeto da pulsão de morte.

A escolha de uma posição técnica em relação a essa questão é fundamental para as estruturas não neuróticas, na medida em que determina práticas significativamente diferentes, as quais abordaremos agora de maneira sucinta.

Existem somente três posições possíveis para o profissional em relação aos sistemas da terceira tópica.

A primeira consiste em se situar no terreno do inconsciente recalcado, do pré-consciente, da sexualidade psíquica e da pulsão de vida. Esta é a *posição psicoterápica*.

A segunda consiste em se situar no terreno do inconsciente amencial e do sistema consciente do paciente, excluindo o inconsciente recalcado e a sexualidade psíquica. Esta é a *posição psiquiátrica*.

A terceira consiste em atacar a clivagem entre a pulsão de vida e a pulsão de morte. Esta é a *posição psicanalítica*.

## A posição psicoterápica

Esta é uma posição difundida. Consiste em trabalhar essencialmente sobre o material trazido de forma espontânea pelo paciente, referindo-se a uma semiologia positiva, isto é, às produções do inconsciente recalcado — sintomas, fantasias, sonhos. O trabalho se concentra sobre a sexualidade psíquica, os conflitos e sobre a análise das relações objetais, quando estas existem.

Referimo-nos, aqui, somente aos pacientes que não apresentam neurose bem mentalizada, pois, neles, a clivagem é apenas acessoriamente problemática.

Decidir pela psicoterapia com pacientes que apresentam estruturas neuróticas mal organizadas, caracteroses ou psicoses consiste em concentrar a análise apenas na parte acessível à verbalização e à simbolização. É difícil manter esta posição quando um paciente sofreu violências extremas durante a infância, pois a psicoterapia gira em torno de um material pobre, sem sair do lugar, e o essencial da vida e do sofrimento permanece inacessível. Resta, então, determinar o que faz o psicoterapeuta diante das atualizações da parte clivada do self.

No caso das caracteroses, propõe-se proteger a clivagem e ajudar o paciente a organizar a sua vida, de modo a evitar as provas de realidade e encontros desestabilizadores para a clivagem.

No caso das psicoses, é frequente iniciar uma psicoterapia com pacientes hospitalizados por um longo período.

A pobreza do material não deixa nada a desejar àquela dos caracteropatas. Passagens ao ato e delírios são confiados à instituição e aos enfermeiros. Não raro, a análise do material simbolizado leva à desorganização do pré-consciente existente, chegando ao ponto em que a psicoterapia constitui uma prova de realidade que ultrapassa as forças do paciente. Consequência lógica: agrava-se o estado do paciente. Em certos casos, a psicoterapia não modifica nada, porque o paciente estabelece uma relação branca com o terapeuta que pode, assim, permanecer durante anos, sem mudança. Porém, às vezes, o paciente corre o risco de se acomodar com os benefícios que esse "atendimento" traz para a sua clivagem, chegando ao ponto de não conseguir mais prescindir do psicoterapeuta, apesar da pobreza do trabalho, pelo resto de sua vida (aliança por exclusão).

## A posição psiquiátrica

Esta posição consiste em deixar de lado a sexualidade psíquica. Numa lógica articulada, não sem prejuízo, com a medicina, a psiquiatria se interessa, sobretudo, pela pulsão de morte. Para o psiquiatra moderno, o corpo é um corpo biológico, cujas desordens e desajustes requerem medidas de internação ou medidas terapêuticas que visem ao corpo (medicamentos, eletrochoques, treino para o trabalho, etc.). O mérito da psiquiatria está em assumir todas as figuras da pulsão de morte, todas as violências, quaisquer que sejam suas formas: passagem ao ato, violência física, delírio, perversão sexual, etc. Porém, essa psiquiatria, que trabalha sem referência ao inconsciente recalcado, só pode se apoiar no sistema consciente do paciente, isto é, em sua consciência intelectual da realidade e do seu estado. Nesse sentido, a psiquiatria funciona também em proveito da clivagem, visando, acima de tudo, à restauração do reinado do consciente sobre a vida, sem preocupação com o pré-consciente nem com a sexualidade psíquica, delegados em muitos casos a outro profissional em psicoterapia.

## A posição psicanalítica

Ela consiste em trabalhar sobre a transferência quando possível ou sobre a relação que a substitui quando falha essa transferência, mesmo que seja uma relação branca. Não há dificuldade quando se trata de uma neurose em que a clivagem afeta apenas uma pequena parte do inconsciente. Em compensação, analisar a relação com o analista nas outras estruturas traz sérios problemas, uma vez que este precisa se posicionar perante as manifestações do inconsciente amencial para possibilitar uma elaboração pré-consciente da relação de dominação e deslocar, assim, a barra da clivagem.

Propusemos a ideia de um objeto da pulsão de morte e, em certas organizações mentais, de um duplo funcionamento com dois objetos: um é objeto de amor e o outro, objeto de dominação, um à revelia do outro. Todavia, em muitos casos, é verdade que não se lida com a pulsão de morte isoladamente e que a passagem ao ato, a conduta perversa, a crise de epilepsia, etc. oferecem, de certa maneira, uma saída para o inconsciente amencial (pulsão de morte) *e* para o inconsciente recalcado (pulsão de vida e corpo erógeno). Neste caso, a conduta patológica se efetua num clima de gozo impressionante.

É em relação a essas condutas patológicas que a interpretação clássica do componente erótico é discutível. Na verdade, em vez de desencadear um movimento secundário de remanejamento do componente erótico, o risco é clivá-lo novamente da relação de dominação, levando, assim, a liberar a pulsão de morte de suas amarras libidinais.

Nesses casos, ao contrário, o analista pode, em suas intervenções, desviar-se daquilo que ele percebe da dominação. Assim, dá uma chance ao paciente de ter que reorganizar sua violência de outra maneira, apoiando-se nos investimentos entreabertos pela libido de transferência, uma vez que o analista não comprometeu o componente erótico.

Portanto, é adotando certa postura diante dos comportamentos patológicos que podemos favorecer reorganizações que levarão progressivamente ao deslocamento da clivagem.

Essa posição requer que o trabalho se volte não somente para o que é positivamente trazido pelo paciente às sessões, mas também para tudo o que falta nelas: *semiologia do negativo, do faltante.* Trata-se da interpretação do não representado, sem a qual não há análise propriamente dita.

Essas considerações levam à indagação sobre a indicação de análise. Não são todos os pacientes que podem iniciar uma análise sem correrem maiores perigos. Por isso, a indicação não pode ser natural, como resposta automática a um sofrimento.

No entanto, a clivagem não pode deixar à margem do discurso uma parte muito significativa do inconsciente. Senão, é necessário conduzir uma análise com arranjos técnicos específicos para cada estrutura.

Não se pode, também, contudo, concentrar a indicação de análise tão somente na estrutura neurótica do paciente. Como os outros, os neuróticos clivam uma parte do self. A análise se torna possível a partir do momento em que o neurótico se mostrar desejoso de não trapacear com sua clivagem e encontrar seu caminho por um modo de proceder que se situe na busca de sua verdade.

A indicação do tratamento psicanalítico para as outras estruturas depende também de uma questão fundamental: o sujeito pede que o analista reforce sua clivagem ou pede que enfrente a verdade, não só de sua culpa neurótica, mas também de seu inconsciente não recalcado e de sua violência potencial?

No primeiro caso, convém encaminhá-lo para um psicoterapeuta, um médico ou um psiquiatra. No segundo caso, pode-se conceber a aventura analítica. No entanto, essa escolha é fundamental e pertence tão somente ao paciente. Cabe ao analista ouvir e respeitar a posição do paciente que se dirige a ele, mesmo que isso o leve a renunciar ao tratamento desse paciente. Em caso contrário, o analista deve avaliar primeiramente se terá força e coragem para arriscar com esse paciente a escuta... até o fim!

# Conclusão

## O corpo

Do ponto de vista ontológico, primeiramente, o corpo é a origem e o lugar onde a vida se revela para si mesma. A vida entendida aqui como subjetividade absoluta, enquanto experiência vivida pelo sujeito. Para o psicanalista, a vida é afetividade, sentimento de plenitude subjetiva. A evidência da vida experimentada em si é o oposto do vazio mostrado pelo psicótico, um vazio que se caracteriza justamente pelo estado de apatia na acepção etimológica da palavra — ausência de penar ou padecer — como sentimento de ser um corpo privado do poder de sentir, sensação de estar morto internamente devido a uma assombrosa insensibilidade. A subjetividade, ao contrário, começa com a capacidade de sentir, de experimentar a vida em si. Devemos essa capacidade ao próprio corpo, ao seu modo fundamental de penar: o sofrimento. Não há sofrimento sem corpo para sentir. Não há angústia, prazer ou desejo se não houver um corpo para senti-los. O sofrimento é o modo radical de revelação da vida a ela mesma. A vida se dá a conhecer pela paixão. É uma dádiva, só pode ser recebida, reconhecida e eventualmente apropriada. Não é uma criação. O sujeito não cria sua vida. É a vida como autoafecção¹ da vida por ela mesma, que, pelo próprio fato de ser experimentada e reconhecida, advém como subjetividade.

Dizer que a vida se revela pela paixão não é suficiente para caracterizar a subjetividade. A paixão, como tudo o que vem da afetividade, não pertence ao mundo visível. A vida enquanto afetividade não pode objetivar-se. A dor, a angústia, o desejo, o amor, o sofrimento não são visíveis. Experimentam-se na obscuridade. A vida e a afetividade só se revelam na própria subjetividade, isto é, numa experiência vivida que será para sempre singular e única. É porque a vida só pode se manifestar na individualidade radical que não pode existir sujeito coletivo, tampouco sujeito social. Essa individualidade se deve à própria corporeidade. Não há vida sem corpo para experimentá-la. Não há sentimento, afetividade nem amor sem um corpo para senti-los em si. A encarnação é a condição *sine qua non* da vida: imanência absoluta da vida que se revela para ela mesma.

Entre o conceito de vida do biólogo e aquele do psicanalista, a distância é a mesma que separa o corpo biológico do corpo erógeno. Se a vida como afetividade não pertence ao mundo visível, então não é aquela que o biólogo, pelo método experimental, tenta conhecer e que o cientista, apesar da soma dos conhecimentos acumulados desde a *Introdução à medicina experimental*, fracassa em definir. As descobertas extraordinárias que podem ter sido feitas sobre a bioquímica do substrato energético e sua oxidação não levam a um conhecimento da vida, mas a conhecimentos bioquímicos. Mesmo quando o biólogo investiga a vida, tudo o que ele descobre são mecanismos. É porque, assim como a subjetividade, a vida é una e indivisível. A experiência psicopatológica nos ensina que, tão logo surge nela uma fissura ou fragmentação, a subjetividade entra em crise, o espectro da doença

---

[1] N.T.: *Afecção* é usado filosoficamente em sua maior extensão e generalidade, designando todo estado, condição ou qualidade que consiste em sofrer uma ação sendo influenciado ou modificado por ela. Implica, portanto, uma ação sofrida.

mental ameaça. Aquilo que o biólogo pode fazer, o isolamento dos processos descontínuos, o psicanalista não pode fazer sem perder a dimensão subjetiva propriamente dita com a qual trabalha. O corpo em que a vida se revela em si mesma, o corpo em que advém a subjetividade não é o corpo fisiológico. É o corpo que habito, o corpo que experimento.

Se, do ponto de vista *ontológico,* a fenomenologia de Michel Henry[2] abre caminho para uma fundamentação filosófica da vida e se, ainda do ponto de vista ontológico, ela desperta o temor de que a concepção positivista reduza a vida a uma concha vazia, ocorre que a vida que se revela no corpo e pelo corpo não pode ser experimentada de forma imaterial, sem o corpo biológico: a fenomenologia de Michel Henry é uma "fenomenologia material". Daí a questão fundamental, *para o psicanalista,* das relações entre os dois corpos.

A fenomenologia do corpo, de Michel Henry, mostra que a vida como afetividade está ligada aos saberes elementares do corpo, à capacidade deste de agir. Esses saberes do corpo, como caminhar, correr, empurrar, puxar, agarrar, gritar, etc., são dados. Não são o produto de um pensamento que os precederia, conceberia e organizaria. Ao contrário, o pensamento nasce subitamente desses saberes elementares do corpo. Quando o corpo se depara com a resistência do mundo, quando encontra também os próprios limites de suas possibilidades, limites intransponíveis que o dominam, isto é, quando sofre a própria resistência à sua capacidade de agir, então experimenta o sofrimento. Ao mesmo tempo em que esse sofrimento, o mundo se revela àquele que vem em sua direção. O conhecimento do mundo é primeiramente uma experiência padecida. E é dessa experiência carnal que pode eventualmente emergir o pensamento.

Não há pensamento sem corpo. É necessário um corpo habitado afetivamente, um corpo que sente para poder pensar. Para o psicanalista, a origem do pensamento não

---

2   M. Henry. *Philosophie et phénoménologie du corps,* Paris, PUF, 1965.

está no córtex, no cérebro nem no sistema nervoso central, mas no corpo inteiro como corpo material que enfrenta a resistência material do mundo. O que alimenta e origina o pensamento é, antes e acima de tudo, aquilo que o corpo experimenta passivamente. É a passividade do padecer em resposta à atividade dos saberes elementares do corpo. Pensar é transformar a experiência afetiva do corpo. Um corpo para pensar os pensamentos — "uma pele", diria Didier Anzieu[3]. Outras investigações, conduzidas na área da clínica do trabalho, encontrariam aqui um ponto de articulação, pois é pelo trabalho que se renova constantemente a experiência do real, isto é, daquilo que se dá a conhecer ao sujeito por sua resistência aos saberes práticos, à técnica, aos procedimentos e ao uso regrado da matéria ou dos objetos técnicos. É pelo modo da elaboração — uma forma essencial, senão a forma essencial do trabalho — que a subjetividade seria capaz de advir e, sobretudo, de se desenvolver ela mesma, até mesmo de realizar-se plenamente.

A fenomenologia da vida e a fenomenologia do corpo insistem na dimensão *monadológica* da subjetividade. Elas teorizam uma subjetividade que se alimenta da capacidade própria de autoafecção da vida por ela mesma. Em *Généalogie de la psychanalyse*[4], Michel Henry passa pelo crivo a abordagem freudiana. O psicanalista que segue o percurso traçado pelo filósofo se vê obrigado, no fim do caminho, a prosseguir sozinho assim que abordar as questões levantadas pelas formas específicas do sofrimento que se encontram na neurose, na psicose e, de modo geral, na psicopatologia.

O lugar do outro, o seu papel, o seu poder sobre o sofrimento e o prazer do sujeito obrigam o psicanalista a se desalinhar da monadologia. Orientam a investigação não mais somente para a subjetividade e a intrassubjetividade, mas para a intersubjetividade.

---

3   D. Anzieu. "Les signifiants formels et le moi-peau", *in* D. Anzieu (dir.). *Les enveloppes psychiques*, Paris, Dunod, 1987, p. 1-22.
4   M. Henry. *Généalogie de la psychanalyse*, Paris, PUF, 1985.

A *ontogênese do corpo subjetivo* pode ser explicada. A criança não desenvolve sozinha sua capacidade de agir. E, mesmo se experimenta sozinha a resistência do real, ela *não elabora* sozinha essa experiência do corpo. Todo o processo se desenvolve dentro da relação com o outro. O outro, aqui, não é exatamente um *alter ego*. A psicanálise sugere que essa relação é *desigual*. O recém-nascido, assim como a criança, descobre seu corpo e a afetividade absoluta da vida numa relação desigual com o adulto. E o lugar essencial do encontro entre a criança e o adulto é primeiramente o corpo: os cuidados dispensados ao corpo, os jogos corporais.

Na *perspectiva psicanalítica*, não somente na perspectiva fenomenológica, o corpo é concebido como o lugar geométrico a partir do qual se desenvolve progressivamente a subjetividade. Ainda que a questão instrumental em jogo nessas relações entre o adulto e a criança seja primeiramente, no mundo objetivo, a qualidade dos cuidados, a maturação contínua e o desenvolvimento harmonioso do corpo biológico da criança, essas relações geram, por seu próprio movimento, outras problemáticas, como o prazer, o desejo, a excitação, etc., e, de modo geral, a dimensão erótica indissociável dos jogos corporais. Forma essencial pela qual o corpo começa a experimentar-se, descobrir-se, conhecer-se e transformar-se.

O segundo corpo, o corpo erótico, origina-se no primeiro, o corpo fisiológico. Entre os dois, os gestos do adulto sobre o corpo da criança não podem ser reduzidos à sua dimensão material e sua vocação instrumental. O encontro com o corpo da criança desencadeia no adulto, *nolens volens,* sentimentos e afetos, mobiliza suas fantasias e seu inconsciente. Ao mesmo tempo em que isso nos aproxima ao máximo da dimensão técnica das manipulações do corpo da criança pelo adulto, também nos afasta: na subjetividade, na intersubjetividade, na afetividade e no invisível. E é nesse lugar geométrico do corpo que se produz, com maior ou menor êxito, a subversão libidinal das funções fisiológicas.

Assim, para o psicanalista, a afetividade absoluta da vida experimentada em si se faz conhecer inevitavelmente por uma emancipação do corpo vivido a partir do corpo biológico. Mas cabe ainda assinalar que esse corpo vivido é experimentado primeiro *como um corpo erógeno*. Para o psicanalista, afetividade e erogeneidade são indissociáveis.

## Monismo e dualismo

Nas investigações ulteriores que realizamos sobre as relações entre os dois corpos, a questão do monismo e do dualismo foi um pouco deslocada em relação ao modo como é tradicionalmente formulada. A relação a elucidar não seria mais aquela entre psique e soma, entre mente e corpo nem mesmo entre cérebro e pensamento. Seriam antes as relações entre os dois corpos.

Já em 1986, numa primeira versão deste livro, propusemos uma análise do nascimento do corpo erótico a partir do corpo biológico, o que foi aprofundado posteriormente. É o que implica, para a própria subjetividade, o engajamento do corpo na relação com o outro. Esta relação com o outro, principalmente o encontro erótico, mobiliza o corpo erógeno e o põe à prova. O relacionamento amoroso talvez seja o que vai mais longe na mobilização da afetividade, porque chega justamente até o corpo a corpo. Não pode haver prova mais decisiva para a vida que se experimenta em si. No encontro erótico são mobilizados registros *expressivos* e não somente registros afetivos. O encontro com o amante demanda gestos e não somente afetos: carícias, beijos, abraços e vários outros gestos.

O corpo mobilizado nesses gestos, movimentos, mímicas, atitudes, posições, movimentos psicomotores, *habitus*, sussurros, tremores, vozes, gritos não é, obviamente, o corpo biológico que os organiza (a menos que esse repertório seja reduzido a um teclado etológico fixo e inato cujas teclas seriam automaticamente acionadas por sinais). Os movimentos do corpo, que conferem tanto ao dizer quanto ao silêncio suas tônicas e, em última instância, seu sentido, são dados pelo corpo erógeno. Daí a introdução da noção de *agir expressivo* que propomos para designar as modalidades de mobilização do corpo a fim de agir sobre o outro, de provocar nele uma emoção, um desejo, um comedimento, um medo[5]. (Encontramos aqui uma ilustração para o capítulo II.)

Assim, as transações intersubjetivas passam por engajamentos corporais cuja mobilização só é possível na medida da sensibilidade e das habilidades do corpo, isto é, dos registros afetivos e expressivos herdados da subversão libidinal. Quando o corpo é impotente, devido aos impasses encontrados pela subversão libidinal, o sujeito não experimenta nada. Experiência atroz da subjetividade que se esquiva de si mesma e cede lugar à paralisia e, sobretudo, à frigidez, forma principal do apagamento da afetividade e da vida em si.

## Sexualidade, violência e senso moral

Na perspectiva que acaba de ser apresentada, o contrário da vida se revela pelas figuras do vazio: queda repentina na ausência de emoção, apagamento da sensibilidade, impotência para sentir qualquer afeto, indiferença esmagadora, frigidez (que obviamente não é exclusiva da mulheres, sendo a impotência sexual a experiência da frigidez no masculino), apatia, anestesia de um corpo que não consegue mais sentir a vida em si. Quando o corpo se retira, a subjetividade se apaga, na medida em que ela é uma encarnação, e o sujeito, um corpo.

Ao mesmo tempo em que a clínica confronta primeiramente o psicanalista com o movimento de oscilação entre a excitação erógena, que aumenta a presença do corpo para si mesmo, e a frigidez, que o esvazia dessa presença em si, é impossível estabelecer uma equação simples entre, de um lado, a vida e a normalidade e, do outro, a não vida e a patologia. As diversas configurações semiológicas da psicopa-

---

5  C. Dejours. "La corporéité entre psychosomatique et sciences du vivant", *in* I. Billiard. *Somatisation. Psychanalyse et sciences du vivant*, Paris, Eshel, 1994, p. 93-122.

tologia não se apresentam de forma unívoca sob o primado da vida que se ausenta de si ou sob o primado da frigidez. Na antecena das manifestações psicopatológicas, o clínico é muitas vezes convocado não pelas figuras do silêncio, mas pelo tumulto espetacular dos comportamentos violentos. Não é somente a violência extraordinária das patologias psiquiátricas (crises explosivas de raiva, estado de furor — maníaco, catatônico, epilético ou alcoólico —, atuação psicopática), mas também a violência comum de homens que batem em mulheres, pais que aterrorizam seus filhos, executivos que assediam um ou vários de seus subordinados, soldados que torturam civis.

Como entender as relações entre as formas clínicas da violência e a teoria da subjetividade quando esta última se iguala à vida? Como entender as relações entre as retrações da vida, a violência e a morte?

Muitos autores, desde o próprio Freud em alguns de seus textos (*O mal-estar na civilização,* de 1930, em particular) e, sobretudo, depois de Melanie Klein, associam a violência à pulsão de morte. De acordo com Klein, a pulsão de morte, antes mesmo de se manifestar sob a égide da compulsão à repetição ou de um princípio de desorganização, de entropia, seria, em sua origem, um instinto essencialmente orientado para a destrutividade e a violência. Foi essa mesma posição que adotamos em 1986. A principal justificativa para essa escolha era o fato de que, em muitos casos de destrutividade *comum* contra alguém, não encontramos rastro de culpa, esse sentimento que atesta, para a maioria dos teóricos, a começar por Freud, a existência de um conflito intrapsíquico do qual toma parte o supereu — herdeiro do complexo de Édipo. A ausência de culpa, tão surpreendente quando se toma a neurose como referência e como modelo metapsicológico, levava inevitavelmente a atribuir um lugar central à *clivagem* no funcionamento psíquico. Clivagem essa que a terceira tópica explicava não só no que dizia respeito à violência patológica, mas também à neurose.

De fato, a terceira tópica permite situar precisamente a clivagem no seio da organização neurótica e compreender como o neurótico também pode participar, sem grande dificuldade, da violência comum. Ao admitir a irredutibilidade de uma pulsão de morte cuja origem estava ligada às montagens instintuais inatas e suas características (automaticidade, compulsividade, repetitividade, estereotipia), a violência podia ser interpretada como um potencial tão irredutível quanto o próprio corpo biológico, sobrevivendo em cada sujeito humano, independentemente da extensão da subversão libidinal e da construção do corpo erótico (este, por sua vez, situado no terreno da pulsão de vida). A pulsão de vida e a pulsão de morte foram substituídas, na terceira tópica, que é uma tópica do corpo, pelos dois corpos, o corpo erógeno e o corpo biológico respectivamente. Em outras palavras, podemos dizer que aquilo que resistia à subversão libidinal — sendo esta concebida como sempre incompleta — permanecia sob o primado do biológico-instintual, exigindo, por sua vez, satisfações que se obtinham muitas vezes à revelia do eu, ou seja, graças a uma clivagem sem conflito nem culpa. Ao contrário, quando essas satisfações suscitavam uma reação afetiva do eu (ruptura da clivagem), eram mobilizadas defesas que visavam a restabelecer a clivagem, mas esta só era então obtida como contrapartida de graves manifestações patológicas (descompensação de uma afecção somática, delírio, passagem ao ato). Os danos causados ao aparelho psíquico, na medida em que implicam alguma forma de desorganização ou de amputação da subjetividade, apareciam como as principais figuras da pulsão de morte.

Assim, um primeiro tempo instintual, vetorizado como destrutividade dirigida ao outro, é seguido, em caso de desestabilização da clivagem, por um segundo tempo defensivo, transformando o instinto voltado para o exterior em força de desorganização voltada para o interior. Em suma, ou a clivagem e a ausência de conflito moral (violência comum), ou então a desestabilização da clivagem seguida por sua reconstituição, havendo, contudo, entre os dois tempos, para conjurar o conflito moral intrapsíquico, alguma forma de autodestruição compulsiva, ou seja, evita-se o conflito moral à custa de uma erosão da subjetividade (violência patológica).

Desde 1986, época em que foi publicada a primeira versão deste livro, fez-se necessário questionar essa concepção da violência comum e patológica. Duas objeções vindas dos debates com nossos detratores não puderam ser superadas. Uma é de ordem teórica e a outra, de ordem clínica.

A *objeção teórica* vem da filosofia e da fenomenologia do corpo. Na fenomenologia material referida anteriormente, não há lugar para uma pulsão de morte primitiva. Poder-se-ia admitir que o psicanalista seja obrigado a contar com uma psicopatologia que o filósofo, ao contrário, não precisa explicar para embasar uma filosofia da vida. Mas há algo mais grave. Nessa fenomenologia do corpo, a necessidade não poderia ser posta de modo algum do lado oposto ao da subjetividade[6]. Ela é a própria vida, mas a posição que adotamos nos levava a opor, sem perceber, uma animalidade, que logo se torna bestial ou monstruosa, a uma hominização sob o primado da sexualidade psíquica, um tanto irenista e encantada.

A *objeção clínica* consiste no fato de que a violência humana não pode ser identificada a uma bestialidade ou a uma animalidade enterrada no fundo do inconsciente, mesmo que este seja designado como "primário" ou "arcaico": a violência humana pode, de fato, paradoxalmente, ir muito além da violência dos comportamentos animais conhecidos. Nada nos animais se equivale à violência exercida contra as crianças, à violência sexual contra os impúberes, aos estupros coletivos praticados durante as guerras, à tortura organizada pelo serviço de informação militar, à destruição dos judeus europeus pelos nazistas. A crueldade do gato que brinca com a agonia do rato, ou da gata que come um dos filhotes da sua ninhada, por mais que impressione, não é

---

6   M. Henry. *Philosophie et phénoménologie du corps*, 1965, p. 294-307.

comparável à crueldade praticada por humanos contra outros humanos. O instintual encontra justamente limites estritos. Tão logo a satisfação é obtida, extingue-se o comportamento compulsivo. A violência humana, ao contrário, pode ser exercida, em muitos casos, sem necessidade (por exemplo, sem a necessidade de defesa ou de responder a uma agressão), podendo prolongar-se sem nenhum limite.

De onde o homem tira esse poder de violência? Hoje, parece indiscutível que, no que se refere à violência *individual* (como nos casos de assassinatos em série, estupros seguidos de assassinatos, estados de fúria maníaca, bem como torturas domésticas duradouras, como relatam diariamente as páginas policiais), esse poder desmedido, o homem retira do sexual, mais precisamente daquilo que, no sexual, provém fundamentalmente da fantasia, ela também ilimitada[7]. Assim, somos levados a propor, hoje, um remanejamento da nossa concepção anterior da violência e das relações entre violência-instinto e pulsão de morte.

## Uma disjunção da violência e da pulsão de morte?

Questionar a genealogia da violência, dissociando-a do instintual e reintegrando-a ao seio da sexualidade, foi o que fez Jean Laplanche. E, quanto ao essencial, eu o acompanho nessa abordagem. O desenfreamento como o próprio princípio do desligamento que leva a *aumentar a excitação* vem do sexual e do erótico. Vamos devolver ao sexual tudo o que lhe pertence, todas as atividades, os atos, os gestos capazes de aumentar a excitação e o prazer sensual experimentado no corpo. A violência contra o corpo alheio e os atos que infligem e causam dor, sofrimento, mutilação, privação, constrangimento são eróticos para quem experimenta o gozo de exercê-los. Tudo isso pertence ao infantil, entendido como núcleo e origem do sexual.

---

[7] J. Laplanche. *Le Fourvoiement biologisant de la sexualité chez Freud*. Paris, Les Empêcheurs de Penser en Rond, 1999.

Todavia, parece indispensável diferenciar dessa violência erógena outras formas de acometimento da subjetividade que não podem ser diretamente associadas ao sexual. Esta forma de destrutividade se caracterizaria, acima de tudo, pelo fato de ser primitivamente orientada para uma espoliação de si mesmo: uma maneira incoercível de ausentar-se de si mesmo, uma inaptidão abrupta e radical para acolher a vida em si mesmo, um movimento irresistível de afastamento de si mesmo, de dessubjetivação, desencarnação, desafecção. É uma espécie de apagamento daquilo que Laplanche designa sob a denominação de "interesses do eu" (derivado das pulsões de conservação na segunda teoria das pulsões), que abandona o corpo à sua própria destruição, sem opor qualquer reação de autoproteção, num contexto de *indiferença afetiva*. A forma pura desse abandono de si mesmo é rara na clínica. Pode-se, contudo, percebê-la algumas vezes. Trata-se da "depressão essencial" descrita por Marty, em 1968, cuja caracterização muito rigorosa abrange, para o psicossomatista, uma constelação clínica real e averiguada.

Supondo-se que a pulsão de morte não seja apenas um conceito, e que remeta a configurações clínicas específicas, como compreender sua origem? No texto freudiano de *Além do princípio de prazer* (1920), a pulsão de morte é relacionada a um princípio cosmogônico tomado emprestado a Empédocle e criticado por Mendel[8] e Laplanche. Na perspectiva teórica da terceira tópica, seria necessário aclarar a ontogênese dessa pulsão de morte. Como indicaremos mais adiante, ela poderia estar ligada às vicissitudes da formação do corpo erótico. Antes, contudo, convém explicar que a mobilização da pulsão de morte foge essencialmente, ao que parece, a sua apreensão pelo eu. Ela se impõe ao eu e o conduz, à revelia deste. E gostaríamos de enfatizar que aquilo que fará parte da pulsão de morte provém justamente do que fugiu à subversão libidinal sem ter conseguido encontrar sua inscrição no corpo erógeno. Trata-se, portan-

---

8  G. Mendel. *La Psychanalyse revisitée*, Paris, La Découverte, 1988.

to, de uma pulsão de morte não sexual que se instalaria à margem da "pulsão sexual de morte", tal qual definida por Jean Laplanche. Esta última explica a violência humana de maneira mais convincente do que aquela que concebemos na primeira versão da terceira tópica. Talvez seja necessário lembrar que a pulsão sexual de morte, segundo Laplanche[9], é sexual acima de tudo. A morte só aparece, nessa condensação, na figura do excesso, do desvario, da incoercibilidade do pulsional, quando este se desenvolve sem levar em conta o esgotamento ou a extenuação que inflige ao outro.

Qual seria, então, a genealogia de uma pulsão de morte que não seja sexual?

## O sexual e o não sexual
### A VULNERABILIDADE SOMÁTICA

A teoria sexual elaborada por Freud escandalizou em sua época e escandaliza ainda hoje, a despeito da liberalização dos costumes. Como insiste Jean Laplanche[10], só há uma teoria sexual propriamente dita se reconhecermos que nem tudo é sexual no gênero humano. O pansexualismo é, na verdade, a forma mais segura de esmorecer o que a teoria psicanalítica do sexual revela: a selvageria que o caracteriza como sexual e que perdura, quiescente ou manifesta, em toda sexualidade. No registro não sexual, Laplanche se interessa, sobretudo, pela estrutura e pela função das formas mito-simbólicas e mito-ideológicas. Porém, Jean Laplanche também encontra o não sexual noutro polo que dá as costas para o social: o polo biológico, em que domina o instintual, principalmente nos comportamentos de *apego*. Como situar, então, o não sexual na organização psíquica? O objetivo da terceira tópica era responder a essa pergunta. Alguns anos após a publicação da primeira versão deste livro, pro-

---

9  J. Laplanche. "La soi-disant pulsion de mort: une pulsion sexuelle", *Adolescence*, 15, 1997, p. 205-224.
10  J. Laplanche. "Sublimation et/ou inspiration", *in Entre séduction et inspiration: l'homme*, Paris, PUF, 1999, p. 301 e 338.

pusemos hipóteses sobre a maneira pela qual o não sexual se inscreve no corpo, onde forma zonas mudas (malformação do corpo erótico sob o efeito da violência dos adultos)[11]. Tais hipóteses se inserem no projeto de construir uma teoria da "escolha do órgão nos processos de somatização".

A noção de subversão libidinal designa um processo que conduz à formação do corpo erógeno. Não se trata de um processo natural. É o resultado da relação específica da criança com o adulto em torno dos cuidados do corpo. Mas a forma como o adulto acompanha as solicitações da criança para jogar com o corpo depende da própria capacidade do adulto de jogar. Esses jogos suscitam nele várias reações que estão estreitamente ligadas às suas próprias fantasias e à liberdade ou ao bem-estar com o próprio corpo em função da sua organização psíquica. Alguns jogos suscitados pela criança geram no adulto, às vezes, reações desproporcionais à situação. As mais preocupantes são aquelas que provocam aversão e ódio ao corpo da criança. Não é raro acontecer que a reação do adulto seja cometer atos de violência contra o corpo da criança e espancá-la brutalmente, provocando nela uma excitação que extravasa todas as suas possibilidades de ligação e a coloca em situação de traumatismo psíquico, isto é, impossibilitando-a de pensar o que acontece em seu corpo. As consequências dessa perturbação são de duas ordens. Por um lado, nesse mesmo lugar do corpo, a subversão libidinal é eliminada, cristalizando uma forma de agenesia parcial do corpo erógeno. Por outro, a excitação dessa zona do corpo, quando solicitada, não pode ser assumida por um trabalho do pensamento.

Nos termos da teoria da sedução generalizada de Jean Laplanche que serve de referência aqui, diríamos que a mensagem do adulto não pode ser submetida a um trabalho de tradução. Talvez não tanto porque o código de tradução seja

---

11 Cf. o primeiro capítulo deste livro; cf. também C. Dejours. *Recherches psychanalytiques sur le corps. Répression et subversion en psychosomatique*, Paris, Payot, 1989.

falho, mas porque o trabalho da tradução é bloqueado pelo comportamento do adulto. No cerne dessa perturbação na interação adulto-criança, parece ser encontrada muitas vezes a intenção (inconsciente) do adulto de impedir o pensamento da criança, ou seja, as fantasias, a curiosidade, o desejo da criança de compreender e traduzir[12]. Seriam deliberadamente conteúdos de pensamento que possam surgir na mente da criança, manifestando o desejo desta de compreender e traduzir as fantasias do adulto, que este combate e tenta neutralizar. Para isso, ele sobrecarrega o aparelho psíquico da criança. Provoca neste uma ruptura para impedir o pensamento e consegue isso, geralmente, espancando a criança ou, mais raramente, rompendo brutalmente o contato com ela: "para puni-la", deixa-a sozinha, com o excesso de excitação que resulta disso. Excedida pelo abandono causado, a criança não consegue pensar. Entre essas duas manobras, a diferença é a ausência de golpes e de atos de violência aplicados diretamente sobre o corpo da criança[13].

No desenvolvimento ulterior da criança, essa zona traumatizada do corpo (erógeno), onde se cristalizou a falha de erogeneidade e da capacidade de pensar, manifesta-se de forma peculiar em condutas específicas. Nas relações com o adulto, quando as interações se aproximam da zona perigosa, a criança adota uma das duas posições seguintes. Ao sentir a aproximação da crise do adulto, que é uma forma de descompensação psicopatológica, ela se torna aliada e terapeuta dele. Para conjurar a crise, a criança cessa o jogo e acalma o adulto. Essa aliança na recusa foi descrita por Denise Braunschweig e Michel Fain[14] sob a denominação de "identificação com a mãe na comunidade da recusa". A

---

12  Cf. o caso Philipa *in* C. Dejours. *Recherches psychanalytiques sur le corps*, 1989.
13  A segunda manobra em estado puro foi identificada várias vezes na clínica, mas é rara. Nesses casos, geralmente, o adulto não apenas demonstra uma rejeição colérica pela criança, mas também associa outras manobras que orientam a fragilidade da criança não mais para a doença somática, mas para a psicose. Retomaremos essa questão mais adiante.
14  D. Braunschweig, M. Fain. *La Nuit, le Jour. Essai psychanalytique sur le fonctionnement mental*, Paris, PUF, 1975.

outra estratégia da criança ao se aproximar da zona perigosa consiste em se antecipar e, para diminuir a excitação desestruturante (medo) que a espera da crise produz, provoca a violência do adulto para acabar com ela e descarregar, assim, a excitação deste. De fato, após uma crise, o adulto torna-se mais sereno, e a comunicação pode ser restabelecida.

Essa hipótese da cristalização de zonas frias desprovidas de qualquer potencialidade erógena, durante o desenvolvimento, leva a reconhecer uma forma de sedimentação, de materialização, de anatomização da história das relações entre a criança e o adulto. A história da subversão libidinal poderia, então, ser decifrada sob a geografia do corpo erógeno. As zonas excluídas da subversão libidinal se tornariam, em seguida, incapazes de participar do "agir expressivo". Ao contrário, quando esse sujeito é chamado a jogar com esse repertório erótico inacessível, principalmente no encontro amoroso e no corpo a corpo, há o risco de revelar-se o que essa exclusão deixou como legado: uma vulnerabilidade eletiva à manifestação de uma doença somática que afeta a função biológica excluída da subversão libidinal. Assim, em certos casos de doenças do corpo, o sintoma somático poderia não afetar o corpo de maneira aleatória, mas de maneira eletiva na zona de exclusão que propusemos designar como "função excluída da subversão libidinal".

Contra o risco dessa descompensação particularmente deletéria, certos sujeitos se defendem por diversas formas de frigidez.

### A VULNERABILIDADE PSICÓTICA

A hipótese da "exclusão da função" da subversão libidinal foi completada para explicar a facilitação, na formação do corpo erógeno, do terreno propício à manifestação de uma psicose no adulto. Em certas configurações das relações entre o adulto e a criança em torno dos cuidados do corpo, o adulto reage às fantasias que nascem na criança com manobras que consistem em distorcer o funcionamento de seu pensamento. Faz-se necessário aqui um esclarecimento sobre a diferença entre o caso geral e o caso particular da formação de uma vulnerabilidade psicótica. No caso geral, o esforço de tradução da mensagem do adulto pela criança (de acordo com a teoria de Jean Laplanche) é perturbado pelas reações inconscientes daquele. O equívoco está, primeiramente, na mensagem. Ele desempenha um papel central na construção das teorias sexuais infantis. Mas a tradução e a formação do recalque sexual e do inconsciente sexual na criança supõem, fundamentalmente, a mobilização de sua atividade mental elaborativa. No caso particular da formação de um terreno psicótico, a mensagem do adulto não é somente comprometida ou ambígua. O adulto intervém, num segundo tempo, no pensamento da criança: desqualifica e submete as traduções da criança a distorções tão profundas que esta acaba encontrando dificuldades para refletir. Os transtornos do pensamento passam então a dominar o quadro toda vez que as fantasias da criança se aproximam das zonas perigosas do inconsciente sexual parental. As traduções não são mais apenas fantasiosas, como no caso geral, são também apagadas com a chegada de transtornos confusionais e mnésicos ou transtornos do curso do pensamento. Em outras palavras, o ataque do adulto não visa à interrupção ou à suspensão do pensamento da criança, como no caso da "vulnerabilidade somática", mas à deformação do pensamento conforme as vias que ele tenta lhe impor. Quando essa dominação é eficaz, a criança passa por fases de prostração e perplexidade em que não consegue mais distinguir o que pertence ao seu próprio pensamento e o que pertence ao pensamento do adulto: sentimentos patológicos de influência ou de estranheza.

No que se refere ao futuro do corpo erógeno dessas crianças, as desordens que se instalam de forma duradoura numa geografia amputada de seu corpo erótico se traduzem em muitas dificuldades na mobilização do agir expressivo, cujas características são perceptíveis na clínica já na fase de investigação, tendo, assim, um grande valor para orientar o diagnóstico (maneirismo, rigidez muscular, tremores, etc.). A função que foi excluída da subversão libidinal não é uma função visceral periférica, mas a cognição. A vulnerabilidade situa-se no plano do funcionamento cognitivo (escolha da função), e os transtornos somáticos localizam-se nas redes neuronais do cérebro que são indispensáveis para esse funcionamento (o órgão).

## Reformulações conceituais

A redistribuição dos seus componentes[15] situa, então, a pulsão de morte especificamente nesses lugares e nessas funções do corpo que não se beneficiaram da subversão libidinal, não tendo sido, portanto, integrados ao corpo erógeno. Na medida em que a esses lugares do corpo correspondem, em muitos casos, silêncios psíquicos, mentais e fantasmáticos e em que solicitá-los dá origem muitas vezes à experiência temível do vazio e da frigidez, a clínica sugere que a excitação dessas zonas de fragilidade estrutural nem sempre se limita a brancos, silêncios, manifestações deficitárias ou da ordem do negativo. As descompensações psicopatológicas, como a crise evolutiva de um processo somático, um delírio ou uma passagem ao ato, são respostas frequentes à ativação da pulsão de morte. No entanto, não são redutíveis meramente à expressão da pulsão de morte. Em 1986, quando apresentei a terceira tópica, as diferentes configurações psicopatológicas haviam sido examinadas sucessivamente. Todas têm em comum o fato de associar a incapacidade de experimentar a vida em si (pulsão não sexual de morte) ao poder de desencadear a excitação de origem sexual (pulsão sexual de morte). É essa confluência do sexual com a mobilização da pulsão de morte que faz com que esta passe por violenta, primitivamente. De acordo com a nova concepção defendida aqui, a pulsão de morte não é primitivamente ve-

---

15  Em pulsão sexual de morte e pulsão não sexual de morte.

torizada para a violência, mas para a experiência assombrosa da vida e da afetividade que se retiram do sujeito, bem como do pensamento que se embota, até ceder o lugar ao vazio. A forma típica mais pura que resulta desse processo seria a depressão essencial. Resta compreender, contudo, como se estabelecem essas confluências entre o sexual e a pulsão de morte nas formas de descompensação que não conduzem à depressão essencial. (Convém esclarecer, no entanto, que, se foi empregado no texto o termo coexcitação sexual em vez de intricação, é porque, nessas formas patológicas de descompensação, tudo se situa no âmbito do desligamento. O termo intricação pulsional seria, pois, inapropriado.)

Para poder examinar essa questão, é necessário explicar inicialmente os impactos dos fracassos da subversão libidinal sobre a organização do inconsciente.

## A CLIVAGEM DO INCONSCIENTE

Os fracassos da subversão libidinal se traduzem em zonas e funções mudas no corpo erógeno, logo, na formação de zonas não sexuais no corpo. Vemo-nos diante de um paradoxo: o fracasso da subversão libidinal é de origem sexual, mas a pulsão de morte é não sexual. Tal paradoxo encontra sua solução na estrutura específica do inconsciente que responde a essa anomalia de formação. O fracasso da subversão libidinal, como vimos, estaria ligado à especificidade das reações do adulto em resposta às solicitações que lhe chegam pelo pensamento e pelo corpo da criança. Essas reações, mesmo as violentas, estão ligadas, sem dúvida alguma, ao inconsciente sexual do adulto.

Transcrevendo essa genealogia para o vocabulário da teoria de Jean Laplanche, pode-se dizer que a reação até mesmo patológica do adulto funciona para a criança, *nolens volens*, como uma mensagem enigmática. Mas, na teoria da sedução, é preciso considerar vários elos intermediários. Os gestos realizados sobre o corpo da criança, mesmo quando pretendem ser puramente instrumentais, estão "comprometidos" pelos efeitos do inconsciente do adulto em seus próprios gestos. A criança é excitada e seduzida por aquilo que se origina simultaneamente em seu corpo e no corpo do adulto. Essa excitação provocada pelo contato com o adulto funciona, para a criança, como uma mensagem (inconsciente) endereçada pelo primeiro. A essa mensagem responde a curiosidade da criança, que faz um esforço para decifrá-la, provavelmente para se tornar dona da reiteração dos efeitos sensuais da excitação da qual ela foi, primitivamente, sujeito passivo. Em seu esforço de tradução, a criança hermeneuta interpreta. A interpretação — tradução (teoria sexual infantil) — é incompleta e deixa no seu rastro algo não traduzido, também de conteúdo sexual. O não traduzido é a forma princeps do recalque, que nada mais é, afinal, que o verdadeiro avesso de qualquer tradução, por essência, imperfeita. A sedimentação do recalcado não traduzido forma o inconsciente. Logo, esse inconsciente é *sexual* e *recalcado* e resulta da operação do próprio recalque. Assim, a sedução vinda do exterior (o objeto-fonte) torna-se interna (o inconsciente) e dá às pulsões, também sexuais, sua forma.

Mesmo que o longo processo da sedução generalizada possa ser esquematizado de outra forma, é preciso admitir o lugar central do *pensamento da criança* em sua realização. O pensamento da criança é irredutivelmente o seu próprio pensamento, a tradução que ela faz é a sua própria tradução (é a pura produção da imaginação da criança, de suas próprias fantasias); não são a reprodução do inconsciente do adulto. Pode-se, no máximo, reconhecer que o inconsciente recalcado da criança responde ao inconsciente sexual do adulto, mas é uma produção singular e única própria da criança. O inconsciente da criança não é uma cópia daquele do adulto. Vale acrescentar que a importância do pensamento da criança no processo pode ser avaliada no fato de que todas as etapas mencionadas aqui são rigorosamente da ordem das fantasias. Se o corpo é convidado para a festa, não é pelos comportamentos instintuais inatos, tampouco pelo seu funcionamento fisiológico. Toda a sexualidade pertence à ordem das fantasias e não à ordem biológica da reprodução que não tem, aqui, rigorosamente nenhum lugar possível (devido à imaturidade endócrina).

Vale ressaltar um ponto. O adulto não se limita a atos higiênico-dietéticos com o corpo da criança. Ele acrescenta também uma sedução. No entanto, seu papel não se limita a isso. A criança que traduz a mensagem testa suas descobertas solicitando o adulto por seus movimentos, sua agitação, seus gritos, sua voz, sua excitação. E o adulto saudável responde a essas solicitações repetidas, durante as quais a criança o põe à prova. A manutenção da comunicação é um acompanhamento necessário à continuidade da tradução e ao enriquecimento do inconsciente recalcado da criança.

Os fracassos da subversão libidinal correspondem a uma suspensão brusca no processo, provocada por reações específicas do adulto que têm como consequência a interrupção da comunicação e a imobilização do pensamento da criança. Em outras palavras, ao impedir o pensamento da criança, a violência do adulto torna então impossível tanto a tradução quanto o seu resíduo — o recalcamento. Neste caso, aquilo que se sedimenta no inconsciente da criança em resposta à experiência de uma excitação traumática não pode proceder do recalcamento. Certamente, um traço dessa experiência permanece, *mas não passa pelo pensamento*. O inconsciente que se forma aqui é diferente do inconsciente sexual. Trata-se de um inconsciente — atrevemo-nos a usar esse termo que tentaremos justificar mais adiante — que designamos como amencial (do termo *amentia*, que Freud toma emprestado de Meynert). Na medida em que não há recalcamento enquanto reverso de uma tradução, é possível considerar que se trata de uma ação de afastamento. Esta poderá ser caracterizada como um exílio, um banimento, uma proscrição ou uma relegação dessa experiência para fora do pensamento. Propomos adotar os termos *relegação* e *proscrição*. Inconsciente relegado ou proscrito, para diferenciar do inconsciente recalcado. Ou ainda inconsciente amencial, para diferenciar do inconsciente sexual[16].

Embora não resultantes do recalcamento, é legítimo considerar os traços dos fracassos da subversão libidinal como formando um sistema, à maneira do inconsciente. Deste inconsciente, temos provas: as formas de descompensação que mencionamos anteriormente são as expressões específicas desse inconsciente, de seus efeitos a distância sobre o eu, de sua ativação pelo encontro intersubjetivo — sedução secundária (tanto pela relação amorosa quanto pela transferência no tratamento).

### RETORNO À TEORIA DAS PULSÕES

Na teoria da sedução de Laplanche, como se sabe, a fonte da pulsão está no objeto, isto é, na sedução pelo adulto. Todavia, a pulsão pertence, é claro, ao patrimônio pessoal da criança. Ela está inserida, apoiada no corpo da criança, sendo então da alçada do inconsciente sexual, que se tornou, conforme assinalamos acima, radicalmente diferente daquele do adulto sedutor. Nessa perspectiva, a pulsão não tem estritamente qualquer relação com o instinto nem qualquer conexão inicial com ele[17]. Em compensação, a pulsão é rigorosamente indissociável do sexual e do recalcamento. Como entender o que se passa, do ponto de vista da gênese da pulsão, no campo do inconsciente amencial? Se, por um lado, este se manifesta a distância, principalmente na depressão essencial e nas outras descompensações patológicas, é forçoso admitir, por outro lado, que ele pode estar na origem de certos movimentos psíquicos, até de movimentos de apagamento, de ausência de si mesmo. No entanto, por

---

16 Na primeira versão da terceira tópica, falamos de inconsciente "secundário" para nos referirmos ao inconsciente sexual recalcado e de inconsciente "primário" para falarmos do inconsciente amencial proscrito. A diferença introduzida pela nova terminologia remete a uma concepção mais precisa do recalcamento do que anteriormente (de acordo com as vias da mensagem, da tradução e de seus resíduos, como proposto por Jean Laplanche).

17 Cf. J. Laplanche. *Le Fourvoiement biologisant de la sexualité chez Freud*, 1999.

ser estruturado pelo impensado e impensável e por não ter relação com qualquer representação, sua ativação *não pode dar origem diretamente a um trabalho de elaboração*. Se quisermos falar aqui de "pulsão" proveniente do "inconsciente proscrito", será necessário admitir que a estrutura dessas pulsões é diferente daquela das pulsões sexuais oriundas do inconsciente recalcado. A pulsão, afirma Freud[18], é "a medida da exigência do trabalho imposto ao psiquismo devido às suas relações com o corporal". Ora, neste caso, a medida da exigência de trabalho é nula (ausência ou paralisia do pensamento). É por essa razão que essas pulsões provenientes do inconsciente amencial (desconectadas do pensamento) podem ser consideradas como incompletas, atrofiadas. Essa forma mutilada da pulsão seria, no fim das contas, a própria forma da *pulsão de morte* e se caracterizaria, do ponto de vista econômico, por uma perda, um esvaziamento, uma deserção da subjetividade. É uma pulsão que, quando ativada, desencadearia uma dessubjetivação.

Se o inconsciente amencial possui reatividade e capacidade próprias de mobilização, é necessário explicar como e por que a subjetividade não é constantemente consumida pela pulsão de morte. Em outras palavras, como os efeitos danosos do inconsciente amencial e da pulsão de morte podem ser contidos ou controlados, uma vez que, nessa parte do inconsciente, não opera o recalcamento?

### INCONSCIENTE AMENCIAL E COMPORTAMENTO DE APEGO

Na teoria da sedução, são atribuídos ao apego um lugar e um papel específicos na própria gênese da sexualidade infantil. O papel do apego é interpretado por Jean Laplanche como sendo a base a partir da qual se desenvolve todo o processo de sedução pelo adulto e de tradução pela criança. Nele se situam montagens comportamentais inatas que são necessárias à sobrevivência biológica da criança. Graças ao ape-

---

[18] S. Freud. "Pulsions et destins de pulsions" (1915), in *Métapsychologie*, Paris, Gallimard, 1952, p. 25-66.

go, *de natureza não sexual*, a criança busca a relação com o corpo do adulto e provoca nele solicitações, principalmente cutâneas, que suscitam, em resposta, comportamentos de cuidados, ou melhor, de *retrieval*[19] (redução pelo adulto da distância entre a criança e a mãe e manutenção da criança em contato íntimo com ela). As implicações a longo prazo do contato cutâneo entre os corpos foram aprofundadas por Didier Anzieu na teoria do eu-pele, com a qual converge a tese do corpo erógeno em vários aspectos. Na concepção de Jean Laplanche, são atribuídas ao apego as principais funções indicadas por Freud na primeira teoria das pulsões sob a denominação de autoconservação. Bowlby, por sua vez, toma muitas precauções com o uso do conceito de instinto. Ele prefere se ater à noção de comportamento de apego[20]. Não adentraremos nessa discussão, mas consideramos legítimo acompanhá-lo em suas conclusões, que parecem refletir, sobretudo, os progressos dos conhecimentos em etologia desde a época de Freud e suas implicações na teoria dos comportamentos inatos.

Para Laplanche, o processo de formação da sexualidade infantil é obtido por derivação, a partir do apego — não sexual — que se caracteriza aqui como "onda portadora" das relações entre a criança e o adulto, parasitada, de certa forma, pela sedução (que designamos pela expressão "subversão libidinal das funções fisiológicas"). O apego, cuja função fisiológica é estabilizar e reforçar as aproximações entre a criança e o adulto, parece necessário para ativar imediatamente neste os comportamentos de cuidados (higiênico--dietéticos) com o corpo daquela. Porém, tais interações no registro instrumental são "parasitadas" pelas fantasias sexuais do adulto, de modo que os cuidados não se reduzem a meros cuidados. Veiculam conteúdos eróticos que agem como sedução sobre a criança. Em outras palavras, se a se-

---

19 J. Bowlby. *Attachement et perte. I: L'attachement* (1969), Paris, PUF, 1978, p. 323-325.
20 *Id., ibid.*, p. 189-198 e p. 239-244.

dução pelo adulto consegue se inseminar de maneira tão rigorosa no corpo da criança é porque ela o atinge através da onda portadora dos cuidados do corpo que percorre todo o corpo da criança, chegando até sua intimidade, conforme diversas modalidades de um corpo a corpo adulto-criança, mobilizado e guiado pelos comportamentos de apego.

A concepção que propomos aqui é quase totalmente englobada pela teoria da sedução. As relações entre a formação da sexualidade infantil e o apego são rigorosamente idênticas às relações entre a subversão libidinal e o corpo biológico. Pode-se apenas destacar uma orientação diferente no sentido de que damos aqui atenção maior para o que advém do corpo biológico. Sem ser hostil ao aprofundamento dos destinos dos comportamentos inatos, Laplanche dá a entender, contudo, geralmente por preterição, que aquilo que pertence ao apego não pode ser encontrado no sujeito humano porque a sedução teria feito do homem um animal totalmente "desnaturado". Em nossa concepção da terceira tópica, distanciamo-nos um pouco daquela de Laplanche. A sedução — aqui, a subversão libidinal — pode encontrar sérios obstáculos que a fazem fracassar. O resultado é uma agenesia ou uma amputação do corpo erógeno. Explicitar as consequências desses fracassos requer não só considerar o anverso (as mutilações do corpo erógeno), mas também o verso: os destinos da parte da onda portadora — do apego — que foi proscrita da subversão libidinal. Essa análise leva a admitir a existência de um segundo sistema inconsciente, o *inconsciente amencial*, e a considerá-lo como uma forma específica de cristalização dos resíduos do apego que foram proscritos da subversão libidinal.

O inconsciente amencial é formado por "proscrição", ficando fora do alcance da atividade de pensar da criança. A proscrição seria a própria intenção dos comportamentos violentos do adulto em resposta às solicitações que vêm da criança. Seria o resultado de reações do adulto antitéticas ao *retrieving*. Aliás, Bowlby também concebe essas reações:

Pode-se dizer da aversão pelo contato com o bebê ou da aversão pelos seus gritos, podendo levar a mãe a um retraimento diante do bebê. [...] numa mãe perturbada no plano emocional, isso pode interferir gravemente nos cuidados dispensados[21].

O autor não segue adiante nessa direção. Não concebe as relações entre esses "comportamentos antitéticos" do adulto e seu inconsciente. Não leva em consideração aquilo que, para o trabalho do analista, é um dado essencial: as ligações estreitas entre esses comportamentos antitéticos do adulto e a organização de sua vida sexual. Na verdade, Bowlby se interessa, por via de regra, mais pelos comportamentos de apego da criança do que pelos comportamentos de *retrieval* correspondentes nos adultos. O estudo das análises propostas por Bowlby, principalmente no segundo tomo de seu livro[22], sugere que os comportamentos antitéticos do adulto, longe de desestimularem o ardor da criança, contribuem para reforçar seus comportamentos de apego (superdependência ou apego ansioso).

A hipótese dos fracassos da subversão libidinal afasta-se das interpretações propostas por Bowlby das condições favoráveis à formação do "apego seguro" (ou "crescimento da autoconfiança"). Segundo Bowlby, a "autoconfiança" seria o prolongamento natural de uma experiência confiável nas relações de apego. Entre a primeira e a segunda, o vínculo se estabeleceria por uma espécie de aprendizagem. Na hipótese da subversão libidinal, ao contrário, a "autoconfiança" repousaria no amor-próprio, isto é, na capacidade da criança de amar o seu próprio corpo e, de certa maneira, a vida experimentada no corpo. Entre o apego e o narcisismo se interporia um processo muito mais longo e complexo que uma aprendizagem de boas interações entre o adulto e a criança na esfera do apego. Esse processo passaria pela

---

21 J. Bowlby, 1978, p. 326.
22 J. Bowlby. *Attachement et perte. II: La séparation :angoisse et colère* (1973), Paris, PUF, 1978, p. 279-284.

subversão libidinal, pela formação do inconsciente sexual e pelo trabalho psíquico ligado à "exigência de trabalho imposta ao psiquismo" (para empregarmos os termos usados por Freud na definição da pulsão). Seria pela subversão libidinal, que também é uma subversão do instinto de apego em proveito da formação da pulsão, que a subjetividade se emanciparia do apego. A autoconfiança se separaria do apego por descolamento e não por confirmação do apego.

### ATIVAÇÃO DO INCONSCIENTE AMENCIAL E CRISE PSICOPATOLÓGICA

Na concepção esboçada aqui, a ativação danosa da pulsão de morte tem seu exemplo mais típico no encontro amoroso. Durante as trocas eróticas, os amantes jogam com as diferentes partes do corpo e mobilizam a subversão libidinal até seus limites. Um desses jogos — com os odores, com os orifícios, com os toques, com as posturas, com a voz, com o olhar — mobiliza no sujeito, de repente, a excitação de uma zona corporal ou de um registro expressivo do corpo marcado pela proscrição (função excluída ou proscrita da subversão libidinal). É como se, de repente, o charme erótico fosse quebrado. A excitação cede lugar à anestesia, as carícias são sentidas como fricções desagradáveis e desnecessárias, o calor das peles em contato provoca uma necessidade incontrolável de refrescar-se, o beijo se torna mecânico e frio, os odores exalados pelos corpos tornam-se nauseabundos, os músculos se distensionam, a respiração desacelera. O corpo se torna átono e é desertado de toda sensualidade. A indiferença afetiva se agrava e pode chegar à sensação de uma hipoestesia generalizada ou mesmo a uma insensibilidade assombrosa do corpo inteiro. Mesmo que o sujeito se esforce, mesmo que tente retomar certas posturas, mesmo que ele mesmo toque em seu corpo, nenhuma excitação ocorre; ele experimenta a ausência de reatividade do corpo, a apatia. É uma frigidez sentida como a vida ausentando-se do corpo.

No início dessa crise, ocorre a perda brutal, inesperada e

irreversível do *contato* com o outro. Do ponto de vista do funcionamento psíquico, essa perda do contato seria consecutiva ao desaparecimento da atividade fantasmática, isto é, da própria substância do sexual. Os jogos eróticos teriam mobilizado aquilo que no próprio movimento do pensamento da criança foi proscrito pela violência do adulto. O sujeito experimenta novamente a paralização do pensamento, a extinção repentina da atividade fantasmática, como resposta à estimulação da zona traumática. Assim, a subjetividade se retira, o corpo deixa de sentir a si mesmo: experiência *princeps* da desencarnação pela extinção da erogeneidade — perda do sentimento dos limites do corpo, não reconhecimento do próprio corpo — que pode eventualmente abrir caminho para um início de dissociação.

Essa experiência é frequentemente o ponto de partida de uma hipocondria duradoura. Em termos metapsicológicos, a crise do corpo erótico é o efeito de uma mobilização do inconsciente proscrito. A anestesia e a extinção da atividade fantasmática são a forma de manifestação da pulsão de morte como processo radical de desligamento, que pode chegar até a "dissolução da consciência de si mesmo", conforme a terminologia orgâno-dinâmica, ou a "desagregação da organização associativa", para falar em termos de *amentia*; isto é, em ambos os casos, há a ameaça de uma confusão mental. Vale acrescentar que a crise atesta a ruptura da clivagem, ou seja, a desestabilização da arquitetura tópica (descompensação). Os efeitos do inconsciente não recalcado (ou inconsciente proscrito) sobre o eu se manifestam, por um lado, numa crise de identidade e, por outro, no retorno de comportamentos não sexuais (pertencentes ao apego).

O apagamento do corpo erógeno, que está no centro da crise, é simultaneamente acompanhado por uma ressurgência do resto proscrito da subversão libidinal, que, como vimos anteriormente, pertence ao apego. Dois argumentos clínicos podem ser propostos nesse sentido. Um se expressa no sujeito em crise, e o outro, no parceiro.

No sujeito, a crise, que começa pela experiência da não reatividade do corpo que se tornou apático, prossegue, em muitos casos, com um aumento da angústia: a angústia de perder o contato com o outro e aquela de perder o contato com sua própria subjetividade. Se não for interrompida, essa angústia leva à confusão mental, à *amentia* mencionada por Freud em *A perda da realidade na neurose e na psicose*[23]. Enquanto Meynert fala em "desagregação da organização associativa"[24], Freud fala em "regressão tópica" acompanhada por uma "regressão temporal".

Todavia, ao mesmo tempo em que o sujeito em crise ainda encontra recursos para lutar contra a angústia, não é raro que esta ceda lugar a um acesso de raiva geralmente contra o outro (podendo, em certos casos, gerar ideias violentas de automutilação ou suicídio). A gênese desses comportamentos é estudada de forma aprofundada por Bowlby. Esse movimento de passagem da angústia à ira está estreitamente ligado à experiência da perda: perda do contato pela qual o outro é tido como agente responsável[25].

---

23 S. Freud. "La perte de la réalité dans la névrose et dans la psychose" (1924), *in Névrose, psychose et perversion*, Paris, PUF, 1973.
24 T. Meynert. *Klinische Vorlesungen über Psychiatrie auf Wissenschaftlichen Grundlagen, für Studierende und Ärzte, Juristen und Psychologen* (1890), Braumüller, trad. fr. *in* C. Lévy-Friesacher. *Meynert-Freud: l'amentia*, Paris, PUF, 1983, p. 60-166.
25 Ver, em particular, J. Bowlby. *Attachement et perte. II: La séparation: angoisse et colère*, 1978, p. 324-329. De resto, o parceiro é efetivamente responsável pela crise que arrasta o sujeito, seja por inadvertência, imprudência, falta de tato ou sadismo. Em suma, é pela sedução que exerce sobre o sujeito que o parceiro consegue levá-lo a aventurar-se nos impasses de seu corpo erógeno, em que se reativa a proscrição herdada da infância. Em outras palavras, a sedução pelo parceiro vem excitar a zona de sensibilidade do inconsciente e desencadeia o "retorno do proscrito" (réplica, no âmbito do inconsciente amencial, do retorno do recalcado, no âmbito do inconsciente sexual). A descrição clínica (ou fenomenológica) da crise de deserogeneização do corpo é uma síntese do material coletado junto aos meus pacientes psicóticos e somáticos. Mas o acesso a esse material é raro. Aliás, traz problemas práticos complexos. De fato, a curiosidade do analista por esse material mobiliza, por sua vez, a reminiscência da experiência afetada pela proscrição pela história infantil e pode desencadear a crise: ilustração exemplar do poder da transferência de reativar a sedução pelo adulto, imediatamente associada aqui ao seu contrário, a proscrição do pensamento pelo adulto.

No caso em que o sujeito não dispõe mais de recursos, ele desvia para a *amentia* ou desmorona na prostração, até mesmo no apragmatismo (remetendo aos estados de abandono descritos nas crianças), encaminhando-se para a depressão essencial.

O segundo argumento clínico diz respeito ao parceiro. Quando eclode a crise em que o corpo erógeno se retira, o parceiro, também afetado inevitavelmente, pode reagir de diferentes maneiras. Ou insiste em restabelecer o contato erótico, agravando, assim, a crise no sujeito, ou então é imobilizado por aquilo que a crise provoca nele, da qual é pelo menos testemunha, se não for seu agente. A frustração e a decepção podem aqui ceder lugar a reações de aversão no parceiro, que, no registro do apego, são sentidas pelo sujeito em crise como "comportamentos antitéticos", no sentido que Bowlby atribui ao termo. Nesse momento, a crise volta a se agravar.

Em suma, diante da crise do corpo erógeno, o único meio de que dispõe o parceiro para ir ao encontro do sujeito em luta contra a experiência de desafecção do corpo é a ternura, isto é, os "comportamentos de cuidados" ou de *retrieval*, que demonstram uma capacidade de renúncia (no vocabulário freudiano, *Triebverzicht*) ao registro sexual do corpo a corpo.

### O CONTROLE COMUM DA PULSÃO DE MORTE: EVITAÇÃO FÓBICA E PULSÃO DE DOMINAÇÃO

De forma um pouco menos espetacular, a clínica apresenta ao psicanalista, com frequência, uma forma incompleta e mais amena da crise amencial, "o ataque de pânico", conforme o diagnóstico que se costuma ouvir por parte dos profissionais da psiquiatria contemporânea. Trata-se de uma angústia maciça, sem conteúdo de pensamento perceptível pelo próprio sujeito, que a maior parte dos pacientes sabe distinguir perfeitamente da angústia comum que os acomete de forma crônica por sua depressão, neurose ou mesmo psicose. É uma experiência tão temida que chega a gerar, às vezes, uma "angústia da experiência de angústia". Em geral, a fim de evitar os riscos de gestos perigosos e irreversíveis, esses pacientes recorrem a um tratamento sedativo que, de resto, tem uma eficácia muito variável, levando, em muitos casos, ao uso de posologias elevadas, com seu cortejo de efeitos indesejáveis.

A intolerância a todas as formas de estímulos sensoriais, principalmente ao ruído, pouco antes e durante o ataque de pânico, impressiona pelo quadro de hiperestesia quase dolorosa que parece contradizer a anestesia da deserogeneização do corpo, própria da crise amencial. A discussão do material clínico sugere que a dimensão hiperálgica dessas sensações pré-críticas está ligada à mobilização das fantasias que, afetadas eletivamente pela proscrição, advertem o sujeito do risco iminente da perda de contato com seu corpo e da experiência assombrosa do vazio.

### A "ALIANÇA POR EXCLUSÃO"

Os sujeitos vulneráveis a essas crises se defendem delas, às vezes, com êxito, mas à custa de um encolhimento de sua vida social e sexual (evitação das situações de sedução). Alguns sujeitos mais afortunados conseguem estabelecer uma vida sexual estável, quando encontram um parceiro capaz de aceitar jogos eróticos que respeitem aqueles limites que nunca devem ser ultrapassados: para uns, tudo é permitido, exceto o contato bucal; para outros, tudo é permitido se a luz estiver acesa para que mantenham o controle visual da situação; para outros ainda, o corpo a corpo é possível, desde que sejam excluídas as carícias nesta ou naquela parte do corpo... Pode-se constituir, assim, uma aliança entre os parceiros compatível com a estabilidade da clivagem (na terceira tópica). São formas de respeitar a clivagem pela *exclusão* dos jogos que mobilizam o que foi proscrito da subversão libidinal. Esse compromisso intersubjetivo será designado, a partir de agora, pela expressão simplificada "aliança por exclusão". Se nós explicamos esse aspecto clínico é porque leva a um problema metapsicológico essencial para a análise da terceira tópica. A construção de uma aliança intersubjetiva por exclusão de alguns registros erógenos é penosa. Creio poder concluir da minha experiência clínica que, na maioria dos casos, o arranjo progressivo e a estabilização dessa aliança implicam o recurso à violência. O problema metapsicológico, aqui, é a maneira como se tecem as relações entre a pulsão de morte e a violência. Na perspectiva considerada, a violência seria um meio eletivo de impedir que o outro atinja a zona de sensibilidade do inconsciente, acionando a pulsão de morte e seus efeitos (a crise amencial). A pulsão de morte não seria primitivamente violenta. Sua conjuração ou seu controle é que poderiam, secundariamente, fazer confluir com ela a violência. Como apontamos acima, a violência pertence propriamente ao sexual. A mobilização da violência do sexual ("pulsão sexual de morte", no vocabulário laplanchiano) seria posta mais a serviço do controle dos efeitos dessubjetivantes do inconsciente proscrito.

Voltemos então à dinâmica da aliança por exclusão. Ela nem sempre é negociada com o parceiro. Às vezes, impõe-se pela violência. A negociação suporia um manejo do pensamento. Ora, nessa parte da tópica, justamente, o pensamento é afetado pela proscrição (em oposição ao recalque). É de forma direta, durante a própria troca erótica, que o sujeito impõe ao parceiro a suspensão da sedução, provocando uma ruptura por um gesto violento: mordida, estrangulamento, contenção que provoca dor, pancada "involuntária" ou "desastrada", rejeição brutal, gestos que podem passar pelo resvalo de um gesto inadvertido, inicialmente erótico. Todas essas manobras, na verdade, causam medo no parceiro. Após o incidente, não há explicação. Na melhor das hipóteses, uma desculpa sem comentário (pois não há pensamento pré-consciente). Aos poucos, esses incidentes impõem e mostram ao parceiro as limitações exatas que não devem ser expostas ao jogo da sedução, a fim de proteger a zona excluída da troca erótica. No máximo, o sujeito impõe ao parceiro uma passividade e uma submissão. Esses comportamentos complexos, que podem aos poucos comprometer definitivamente a relação, traçam pouco a pouco a geografia erógena e seus limites, tanto para o parceiro quanto para o sujeito. Quando a relação de aliança está estabilizada, não é raro que as transgressões cometidas provoquem comportamentos ainda mais agressivos. Então, o sujeito experimenta também o poder de controlar a sua própria clivagem pela dominação exercida sobre o corpo do parceiro, o que o leva a uma experiência de gozo. A "aliança por exclusão" torna-se uma fonte complementar de gozo sádico. Realiza-se, assim, a confluência do sexual com o não sexual (pulsão de morte), numa forma de coexcitação sexual patognomônica da aliança por exclusão, destinada a manter a clivagem (controle da pulsão de morte e dos efeitos do inconsciente amencial).

Parece-me possível encontrar nesse processo psicodinâmico todas as características do conceito freudiano de *Bemächtigungstrieb* (*Três ensaios sobre a teoria da sexualidade* e *Além do princípio de prazer*), que Laplanche[26] traduz por *pulsion d'emprise* [pulsão de dominação] e Derrida por *pulsion de pouvoir* [pulsão de poder].

Na perspectiva da terceira tópica, o componente tirânico da pulsão de dominação pertenceria ao inconsciente amencial — formado por proscrição do pensamento — e à sua origem, o apego. O componente violento — secundário — pertenceria ao inconsciente sexual e à sua origem, a sexualidade infantil.

Logo, nessa perspectiva, a pulsão de dominação seria uma formação que cumpre um papel central na estabilidade da clivagem e na conservação da arquitetura da terceira tópica.

## A PULSÃO DE DOMINAÇÃO:
## ESPECIFICIDADES METAPSICOLÓGICAS

A aliança por exclusão seria, pois, o resultado de uma montagem específica que nem todos os sujeitos conseguem al-

---

26 Ver o comentário muito rigoroso do conceito feito por Laplanche e Pontalis em *Vocabulaire de la psychanalyse*, Paris, PUF, 1998, p. 364-367. Publicado em português: *Vocabulário da Psicanálise*. São Paulo, Martins Fontes, 2000, p. 398-399.

cançar. Sua construção implica, com frequência, o exercício da violência. Uma vez estabelecida a aliança por exclusão, o seu "valor" se torna considerável, uma vez que dela depende a estabilidade tópica do aparelho psíquico e, portanto, ao mesmo tempo, da saúde mental.

Quando conquistada pelo sujeito, ele a estima como a menina dos seus olhos, isto é, sua própria subjetividade. A paixão com a qual o sujeito investe nessa relação de aliança por exclusão é acompanhada, na maioria das vezes, e inevitavelmente, por uma paixão proporcional pelo parceiro. A relação torna-se *tirânica*. Qualquer ameaça de ruptura da relação pode desencadear reações violentas. Em contrapartida, o gozo experimentado no exercício do domínio, ou melhor, da dominação sobre o outro tende facilmente a adotar um tom de sadismo (coexcitação sexual).

O que resta do apego se manifestaria depois, em muitos casos, nas diferentes formas de tirania: doméstica (ciúme, paixão pela ordem, dominação pela ameaça ou pela violência), profissional ou social[27].

A tirania como perversão e a "satisfação pela percepção" seriam as formas comuns nas quais se encontram e se concretizam os resíduos do apego, isto é, a parte da onda portadora — instintual — proscrita da subversão libidinal (pela violência do adulto). Compartilhamos aqui da conclusão de Jean Laplanche sobre a "desnaturação" do instintual no sujeito humano (isto é, a deformação do instintual pelo sexual). Porém, julgamos necessário atribuir um status particular à pulsão de dominação, que, na perspectiva da terceira tópica, não é uma pulsão sexual por completo, pois possui um componente não sexual. *A pulsão de dominação seria a forma específica sob a qual o instintual perdura no adulto.* Uma pulsão específica no sentido de trazer com ela o que foi descartado da sedução e da tradução e que só muito dificilmente adquire o status de "exigência de trabalho impos-

---

27 P. Legendre. *Jouir du pouvoir. Traité de bureaucratie patriote*, Paris, Minuit, 1976.

ta ao psiquismo devido às suas relações com o corporal". A frustração da pulsão de dominação não se manifesta por uma exigência de elaboração, devido à ausência de recalque primário em seu fundamento. Ela se manifesta por uma crise que, tendencialmente, impele o sujeito para a *amentia* (confusão mental) ou para a violência. As manifestações da pulsão de dominação teriam a característica de serem rebeldes, desde a origem, à perlaboração. Marcariam até mesmo a retirada do pensamento em proveito dos comportamentos e da compulsão. E ainda assim... Na pulsão de dominação, também há sexual, isto é, o pulsional, na plena acepção do conceito analítico de uma parte de exigência de trabalho imposta ao psiquismo. O fato é que as condutas mobilizadas pela pulsão de dominação contradizem Eros, ou seja, o amor — primeiro, o amor-próprio (narcisismo), depois, o amor objetal (relação com o objeto total). A essa contradição na ordem das condutas deveria corresponder um conflito intrapsíquico entre as pulsões, do qual se poderia esperar que viesse um trabalho de perlaboração.

Por que, então, com tanta frequência, a clínica nos mostra que um sujeito, mesmo neurótico, tem aptidão para participar das formas mais radicais de tirania, até mesmo e inclusive a tortura, sem que isso desencadeie uma crise psicopatológica? Como alguém pode ser um "homem comum" e um assassino[28] ao mesmo tempo? Como alguém pode ser um torturador e estar em paz consigo mesmo? A resposta é conhecida: trata-se da clivagem que a terceira tópica tenta sistematizar, ou seja, explicar como ela é possível em qualquer sujeito humano, independentemente de sua estrutura mental, e não apenas no perverso organizado. Como se sabe, qualquer pessoa pode se tornar um carrasco, como mostram as ditaduras, as guerras e os exércitos. (Àqueles que podem objetar que alguns sujeitos são incapazes disso, que até mesmo se opõem e que, por essa razão, conheceram o *Lager* ou o

---

28 C. Browning. *Des hommes ordinaires. Le 101ᵉ bataillon de réserve de la police allemande et la solution finale en Pologne*, Paris, Les Belles Lettres, 1994.

*Goulag*, responderemos que, se lhes fosse de fato impossível participar da barbárie, não haveria nenhum herói entre eles. A coragem começa quando, apesar da capacidade de se clivar e consentir, alguém recusa deliberadamente fazê-lo.)

Para a questão do duplo funcionamento psíquico na mesma pessoa, a resposta pela clivagem é insuficiente. É preciso remontar ao que vem antes da clivagem, sendo esta concebida, na terceira tópica, como o resultado de uma construção e não como "mecanismo de defesa" inato, automático ou *sui generis*.

O que parece dar à clivagem certa estabilidade é exatamente a *capacidade de não pensar*. Por capacidade de não pensar não entendemos uma incapacidade ou uma inaptidão para pensar, mas, ao contrário, uma capacidade de parar de pensar movida por uma intenção ou uma vontade específica.

Como a maioria dos sujeitos pode fugir dessa exigência de trabalho imposta ao psiquismo pelo componente sexual da pulsão de dominação? A resposta é bastante complexa, pois supõe o recurso a uma noção que não foi abordada até aqui e que necessitaria de longos desenvolvimentos teóricos: *o imaginário social*.

O imaginário (social) se opõe aqui, conceitualmente, à imaginação (subjetiva). A imaginação é o resultado do *trabalho psíquico de ligação*, a partir de formas figuradas (as fantasias) produzidas *pelo próprio sujeito* e associadas aos pensamentos latentes. A forma mais completa da imaginação é o sonho (ver o capítulo sobre a perlaboração pelo sonho). O imaginário social, em contrapartida, é um repertório de imagens *dadas externamente* pela sociedade em forma de slogans, palavras de ordem, publicidades, representações veiculadas pela mídia, pelo cinema, pela fotografia ou ainda pelas encenações políticas e religiosas de massa. É um repertório de formas historicamente datadas que carregam uma marca social e cultural.

A força dessas imagens em relação ao funcionamento psíquico provém de sua encenação de massa que lhes confere um poder de fascinação[29]. Fascinação quer dizer provocação de um estado psíquico em que o afeto, saturado pela imagem, captura o pensamento a ponto de substituí-lo. A imagem ocupa o lugar do pensamento. O imaginário social não tira sua força apenas do poder de fascinação. Ele a encontra também na maneira pela qual se propõe e se posiciona em relação a questões confusamente apresentadas a cada sujeito sobre o exercício do poder, da força, da violência, da dominação e da tirania, das quais participa proporcionalmente à parte que cabe à pulsão de dominação na organização da existência privada e social do sujeito. Quando se estabelece a aliança entre o imaginário social e o inconsciente amencial, o pensamento imaginativo, isto é, a perlaboração torna-se desnecessária e até mesmo difícil (captura imaginal). O imaginário preenche a brecha que tendem a abrir os retornos do proscrito e a pulsão de dominação na tópica da clivagem (desestabilização da clivagem). O recurso ao imaginário social seria o meio comumente utilizado para não pensar e se libertar da exigência de trabalho imposta pelo psiquismo.

Para além dessa aliança entre o imaginário social e o inconsciente proscrito, o recurso ao pensamento dado a partir do exterior passa a ser reformulado apenas por discursos de racionalização..., mais ou menos rigorosos, mais ou menos racionais, mais ou menos embasados pela ciência. O imaginário social, preso ao inconsciente amencial, assentado pela racionalização, adquire a forma sólida da ideologia. Na terceira tópica, a ideologia se situa no campo do sistema consciente. Este é impermeável ao pré-consciente e forma uma espécie de barreira para o inconsciente amencial, que assim se mantém contido, enquanto os derivados comportamentais da pulsão de dominação podem encontrar uma

---

29 Este tema foi estudado exaustivamente por J. Le Goff em *L'Imaginaire médiéval* (Paris, Gallimard, 1985) e *La Bourse et la Vie. Économie et religion au Moyen Âge* (Paris, Hachette, 1986), e por P. Legendre em *La Fabrique de l'homme occidental* (Paris, Arte/Mille et Une Nuits, 1996).

maneira de se satisfazerem protegidos contra a clivagem (satisfação pela percepção e aliança por exclusão).

## O SISTEMA CONSCIENTE É "MARCADO PELO GÊNERO"

A racionalização da dominação revela-se principalmente a respeito dos pares atividade-passividade, força-fraqueza, dominação-submissão, virilidade-feminilidade, etc. Na descrição do processo de construção da aliança por exclusão que apresentamos acima, sobretudo quando passa pelo recurso à violência, é possível identificar comportamentos que são seguidamente interpretados como características[30] da virilidade "natural". Na verdade, esse processo não é vinculável a nenhuma especificidade, nem anatômica nem endócrina. O que se encontra no fundamento do par formado pela dominação (apossar-se) e pela submissão (renúncia) não é da mesma ordem do par da diferença anatômica (ou da diferença endócrina) entre os sexos: é exatamente da ordem do par apego-*retrieval*, isto é, um par conceitual que se define *sem qualquer referência a um sexo anatômico.*

O apego e o *retrieval* não são sexuados. Eles caracterizam e estruturam a relação entre a criança e o adulto. A descrição completa do processo de aliança por exclusão suporia analisar o comportamento de submissão: o do parceiro que se submete ao que o sujeito impõe. Ora, neste caso, o uso da força, mesmo sendo muito frequente, como apontei, não pode explicar por si só a submissão do parceiro. Esta só pode ser explicada, no fim das contas, por um consentimento em sofrer a dominação e pelos benefícios desse consentimento, ou seja, as satisfações que ele proporciona pela

---

30 Essas características são articuladas com toda uma série de conteúdos ideológicos do tipo: os homens são fortes, as mulheres são fracas; os homens são ativos, as mulheres são passivas; os homens são inteligentes, as mulheres são sensíveis; os homens são racionais, as mulheres são intuitivas; nos homens predomina o hemisfério esquerdo, nas mulheres, o hemisfério direito... Elas também se manifestam na ordem do discurso, como mostra claramente Serge Leclaire no capítulo intitulado "Béatrice" em *On tue un enfant* (Paris, Seuil, 1975, p. 25-50).

própria submissão à parte do funcionamento psíquico que, no parceiro, pertence ao apego.

Ao se submeter, o parceiro se faz objeto indispensável ao sujeito que domina. Sem dúvida, pelo comportamento de submissão, ele suscita a tirania, mas, no mesmo movimento, também se apega ao sujeito por sua própria conta, com a mesma obstinação com que este se empenha, em sentido inverso, para obter o apego do parceiro. É por essa razão que o consentimento em deixar sofrer e o consentimento em se deixar sofrer fazem parte, assim como a dominação, da *Bemächtigungstrieb*, como enfatizou Jacques Derrida numa conferência realizada em julho de 2000 nos *États généraux de la psychanalyse*[31].

Se as irrupções da pulsão de dominação nem sempre ocasionam a desestabilização da clivagem e a crise não é apenas graças à aliança por exclusão entre duas subjetividades, mas também graças à contenção das contradições que o recurso ao imaginário social (sistema consciente) permite. Essas interpretações vindas do exterior e retomadas sob a forma de racionalização protegem o sujeito do conflito intrapsíquico entre os efeitos de dois inconscientes (o inconsciente recalcado e o inconsciente proscrito) que tudo opõe um ao outro e o poupam de pensar e perlaborar o conflito. Graças a essa montagem, muitos sujeitos conseguiriam evitar pensar em uma parte de seu próprio comportamento e participar sem incômodo de condutas que contradizem radicalmente seu ideal e a ideia que fazem de si mesmos.

Ocorre que alguns sujeitos não conseguem sustentar essa clivagem, principalmente quando o encontro intersubjetivo transgride a aliança por exclusão ou quando o parceiro, ao se retirar (ruptura sentimental, falecimento, nascimento de uma criança), denuncia a aliança. Eles ficam, então, sujeitos à experiência da descompensação.

---

31 J. Derrida. "Pulsion de mort, cruauté et psychanalyse", *Le Monde*, 9-10 juillet 2000, p. 11.

Outros, por fim, conseguem pôr em xeque a clivagem, mas sem descompensar. O custo mínimo da perlaboração é o sofrimento moral e a angústia de pôr o corpo erótico em perigo. As duas principais formas de perlaboração que permitem ganhar terreno sobre a clivagem, deslocando progressivamente sua barra para a direita da geografia tópica, ou seja, que permitem a reintegração de uma parte do inconsciente amencial no inconsciente sexual, são a perlaboração pelo sonho e a sublimação. Estas possibilitam eletivamente a retomada e a capitalização do processo de subversão libidinal no ponto em que foi interrompido na infância.

Os remanejamentos propostos aqui não põem em xeque o princípio teórico de uma terceira tópica centrada na clivagem do inconsciente. Permitem melhor explicar a gênese dessa clivagem a partir de dois processos que se completam, respectivamente, pelo recalque (inconsciente sexual) e pela "proscrição" (inconsciente amencial). Entre esses dois inconscientes, não há sucessão temporal (ou genética). O inconsciente proscrito não seria mais arcaico que o inconsciente recalcado. E, ao contrário do que eu escrevi em 1986, o inconsciente amencial não seria mais natural que o inconsciente sexual (supostamente mais cultural). Ambos seriam formados ao mesmo tempo. Ambos seriam construídos. Ambos seriam herdados da história das relações entre a criança e o adulto. Ambos, por fim, teriam sua origem no encontro do corpo da criança com a sexualidade do adulto.

Todavia, se a sexualidade do adulto domina o jogo das relações com a criança, achamos pertinente distinguir duas maneiras diferentes pelas quais o sexual adulto se implanta no corpo da criança: uma funciona como uma sedução estruturante, e a outra, como uma proscrição atrofiante; uma funciona como endereçamento de uma mensagem, e a outra, como interrupção imposta ao pensamento; uma compromete ou deturpa a comunicação entre a criança e o adulto, e a outra a interrompe; uma faz da criança um hermeneuta, e a outra a mantém no apego. Em outras palavras, esforçamo-nos, com a tópica da clivagem, para argumentar os limites da sedução generalizada, embora esta mantenha, no fim das contas, o papel principal para o advento da subjetividade.

Os desafios teóricos da terceira tópica eram dois: compreender como se organizam as relações entre o corpo biológico e o corpo erótico e reunir alguns elementos para formular uma concepção psicanalítica do senso moral. Pudemos compreender que as condições psíquicas do acesso ao senso ético se situam no plano da clivagem e de sua eventual evolução. De fato, é a clivagem que dá ao sujeito a possibilidade de "arranjar-se" com a ética, isto é, de evitar a prova afetiva desta. Graças à clivagem, a discussão ética pode permanecer um exercício intelectual sem consequência subjetiva. Todo o caminho que Jean Laplanche propõe, passando pela releitura da neurose obsessiva e da melancolia, pode ser percorrido sem qualquer referência aos valores nem à ética. As crises "morais" com as quais se debatem tanto o obsessivo quanto o melancólico não têm estritamente nenhuma relação com a ética, no sentido filosófico deste conceito. Laplanche mostra que, neste caso, o que está em questão são "sentimentos morais" (a vergonha e a culpa), algo bem diferente do "senso moral".

Por outro lado, Freud não enfrentou verdadeiramente o problema da ética. Em *Reflexões para os tempos de guerra e morte*, ele demonstra um profundo ceticismo em relação a qualquer progresso moral da humanidade. Evidentemente, depois do legado da história do século XX, não podemos deixar de concordar com esse ponto de vista. Depois de Freud, alguns autores sentiram-se tentados a considerar que o fracasso do senso moral se deve ao fato de que este se confronta com a pulsão de morte, mas quase todos admitem que a violência e a pulsão de morte são sinônimas. Na verdade, se levarmos a teoria freudiana às últimas consequências, a tentação é concluir que a teoria psicanalítica não apenas não se envolve diretamente com as questões morais e políticas, como também defende a ausência de fundamento psíquico do senso moral.

De fato, o sexual dispensa a moral, pois sua luta é somente com a excitação e o prazer. Quanto à culpa, Freud explica, em *O mal-estar na civilização*, que ela estaria mais ligada ao medo de perder o amor dos pais. Em outras palavras, ela indicaria muito mais uma dependência afetiva que perdura em relação a eles — a neurose é prova disso — do que uma emancipação e uma capacidade de usufruir livremente de seu corpo e de seu pensamento.

A clivagem é de natureza totalmente diferente. Ela poupa justamente a culpa ao permitir que o sujeito escape do conflito entre, de um lado, o exercício da dominação e da tirania e, do outro, a relação com o objeto total. Em certas condições (de aliança), a dominação pode ser exercida sem se tornar exigência de trabalho para o psiquismo. Em se exercendo na ausência do recalque, pode de fato agir sem réplica no pré-consciente, ou seja, à revelia do sujeito (clivagem), logo, sem conflito.

A conclusão sugerida pela referência à terceira tópica é paradoxal: o sexual é, por natureza, amoral, mas o acesso ao senso moral dependeria, em última análise, das possibilidades de desenvolvimento do potencial sexual (erógeno). O reconhecimento do outro como subjetividade absoluta só é possível na medida do reconhecimento da própria subjetividade pelo sujeito. Do amor-próprio, a começar pelo amor pelo próprio corpo, depende a sensibilidade à subjetividade do outro e ao que esta implica na ordem das relações amorosas. Em suma, é outra forma de encontrar na própria origem do senso moral o primado do corpo erógeno e daquilo que permite o seu desenvolvimento: a subversão libidinal da função do apego.

# Referências

AJURIAGUERRA, J. de; DIATKINE, R.; GARCIA-BADARACCO, J. Psychanalyse et neurobiologie, *Psychanalyse aujourd'hui*, 2, p. 437-498, 1956.

ANZIEU, D. Les signifiants formels et le moi-peau. In: ANZIEU, D. (dir.), *Les enveloppes psychiques*. Paris: Dunod, 1987.

BOUCHARD, R. et coll. *L'épilepsie essentielle de l'enfant*. Paris: PUF, 1975.

BOURGUIGNON, A. Propos sur le rêve, la cataplexie et l'épilepsie: voie motrice et voie psychique. *L'évolution psychiatrique*, 36, p. 1-11, 1971.

BOWLBY, J. *Attachement et perte*. I : L'attachement. Paris: PUF, 1978.

BOWLBY, J. *Attachement et perte*. II : La séparation: angoisse et colère. Paris, PUF, 1978.

BRANCART, J.; TALAIRACH, M.; BORDAS-FERRES, M.; AUBERT, J.-L.; MARCHAND, H. Les crises épileptiques au cours du sommeil de nuit. *Le sommeil de nuit normal et pathologique*. Paris: Masson, 1965.

BRAUNSCHWEIG, D.; FAIN, M. *La nuit, le jour*. Essai sur le fonctionnement mental. Paris: PUF, 1975.

BRAUNSCHWEIG, D. Psychosomatique et Psychanalyse. *In*: FAIN, M.; DEJOURS, C. *Corps malade et corps érotique*. Paris: Masson, 1984.

BROCH, S.; WIESEL, B. The Narcoleptic-Cataplectic Syndrom. *J. Nerv. Ment. Dis.*, 94, p. 759-764, 1941.

BROWNING, C. *Des hommes ordinaires*. Le 101e bataillon de réserve de la police allemande et la solution finale en Pologne. Paris: Les Belles Lettres, 1994.

CLÉRAMBAULT DE, G.-C. *La passion des étoffes chez un neuropsychiatre*. Paris: Solin, 1981.

CONSOLI, S. Relation spéculaire et comitialité. *L'évolution psychiatrique*, 42, p. 63-71, 1977.

DAGOGNET, F. *Faces, surfaces et interfaces*. Paris: Vrin, 1982.

DAVIDSON, D. Mental events. *In*: FORSTER, L.; SWANSON, J. W. (dir.) *Experience and theory*. Amherst: University of Massachusetts Press, 1970. Trad. fr. *in* NEUBERG, M. *Théorie de l'action*. Liège: Mardaga.

DAVOINE, F.; GAUDILLIÈRE J.-M. À propos d'Amae. *Critique*, 428-429, p. 55-60, 1983.

DEJOURS, C.; ASSAN R.: TASSIN J.-P. Fonctionnementmental, hiérarchie fonctionnelle de l'encéphale et gluco-régulation. *L'encéphale*, 9, p. 73-89, 1983.

DEJOURS, C. *Travail*: usure mentale. Essai de psychopathologie du travail. Paris: Centurion, 1980.

DEJOURS, C. Symbolizing somatizations. *In*: KRAKOWSKI, A.; KIMBALL, C. *Psychosomatic medecine*. Theoretical, clinical and transcultural aspects. New York: Plenum Publishing Corporation, 1983.

DEJOURS, C. Avant-propos. *In*: FAIN, M.; DEJOURS, C. *Corps malade et corps érotique*. Paris: Masson, 1984.

DEJOURS, C. Violence et somatisation: deux techniques dans le traitement psychanalytique des malades somatiques. *In*: AMYOT, A.; LEBLANC, J.; REID, W. *Psychiatrie-Psychanalyse*. Montréal (Québec): Gaëtan Morin, 1985.

DEJOURS, C. *Le corps entre biologie et psychanalyse*. Paris: Payot, 1986.

DEJOURS, C.. Le corps érogène entre délire et somatisation. *Psychiatries*, 80-81, p. 13-20, 1987.

DEJOURS, C. *Recherches psychanalytiques sur le corps*. Répression et subversion en psychosomatique. Paris: Payot, 1989.

DEJOURS, C. La corporéité entre psychosomatique et sciences du vivant. In: BILLIARD, I. (dir.), Somatisation. Psychanalyse et sciences du vivant. Paris: Eshel, 1994.

DEJOURS, C. Doctrine et théorie en psychosomatique. *Revue française de psychosomatique*, 7, p. 59-80, 1995.

DEJOURS, C. *L'évaluation analytique du passé psychanalytique*. Séminaire de perfectionnement de la Société Psychanalytique de Paris. Paris: Institut de Psychanalyse, 1998.

DEJOURS, C. Psychanalyse et morale sexuelle. *In*: BATEMAN, S. *Morale sexuelle*. Actes du séminaire du CERSES-CNRS, v. 2, Paris, 2001.

DEMENT, W. C. *Dormir, rêver*. Paris: Seuil, 1981.

DERRIDA, J. Pulsion de mort, cruauté et psychanalyse. *Le Monde*, 9-10 juillet 2000.

DOREY, R. Le lien d'engendrement. *Nouv. Rev. Psychanalyse*, 28, p. 209-228, 1983.

DUNBAR, H. F. Mind and body. *Psychosomatic medicine*. New York: Random House, 1955.

ENRIQUEZ, M. Intervention. *Topique*, 30, p. 80-85, 1982.

ENRIQUEZ, M. L'analysant parasite. *Topique*, 23, p. 37-54, 1979.

FAIN, M. Vers une conception psychosomatique de l'inconscient. *Rev. Franç. Psychanal.*, 45, p. 281-292, 1981.

FREUD, S. *L'interprétation des rêves*, 1900.

FREUD, S. *Trois essais sur la théorie sexuelle*, 1907.

FREUD, S. *D'un type particulier de choix objectal chez l'homme*, 1910.

FREUD, S. *Conception psychanalytique des troubles visuels d'origine psychique*, 1910.

FREUD, S. *Complément métapsychologique à la théorie du rêve*, 1915.

FREUD, S. *Pulsions et destins de pulsions*, 1915.

FREUD, S. *Au-delà du principe de plaisir*, 1920.

FREUD, S. *Le moi et le ça*, 1923.

FREUD, S. *La perte de la réalité dans la névrose et dans la psychose*, 1924.

FREUD S. *Malaise dans la civilisation*, 1930.

GANTHERET, F.; LAPLANCHE, J.; LECLAIRE, S. *Biologie et psychanalyse*. Psychanalyse à l'Université, 7, p. 533-560, 1982.

GEORGE, F. *L'effet y'au de poêle*. Paris: Hachette, 1979.

GOODENOUGH, D. R. *et al.* Repression, interference and field dependance as factors in dream forgetting. *J. Abnorm. Psychol.*, 83, p. 32-44, 1974.

GUEDENEY, C., KIPMAN, S.-D. Contribution psychiatrique et psychanalytique à l'étude des premières manifestations de l'épilepsie essentielle chez l'enfant. In: BOUCHARD, R. et coll. *L'épilepsie essentielle de l'enfant*. Paris: PUF, 1975.

HENRY, M. *Philosophie et phénoménologie du corps*. Paris: PUF, 1965.

HENRY, M. *Généalogie de la psychanalyse*. Paris: PUF, 1985.

HENRY, M. *Phénoménologie matérielle*. Paris: PUF, 1990.

HERZBERG-POLONIECKA, R. Périple en psychosomatique à la lumière des symptômes. *In*: FAIN, M.; DEJOURS, C. *Corps malade et corps érotique*. Paris: Masson, 1984.

JOUVET, M. Le comportement onirique. *Le cerveau*, p. 136-153, 1979. (Pour la Science, numéro spécial)

JOUVET, M. Le rêve. *La recherche en neurobiologie*. Paris: Seuil, 1977. (La Recherche, numéro spécial)

KOULACK, D. rapid eye movements and visual imagery during sleep. *Psychol. Bull.*, 78, p. 155-158, 1972.

KRAFFT-EBING, R. *Psychopathia sexualis*. Stuttgart: Ferdinand Enke Verlag, 1912.

KRETSCHMER, E., ENKE, W. *Die Persönlichkeit der Athletiker*. Leipzig: Thieme, 1936.

LACAN, J. *Les quatre concepts fondamentaux de la psychanalyse (1964)*. Paris: 1973.

LACAN, J. Les formations de l'inconscient. *Séminaire 1957-1958*. Livre V. Paris: Seuil, 1973.

LAPLANCHE, J. Surinterprétation. In: LAPLANCHE, J.; PONTALIS, J.-B. *Vocabulaire de la psychanalyse*. Paris: PUF, 1967.

LAPLANCHE, J. *Vie et mort en psychanalyse*. Paris: Flammarion, 1970.

LAPLANCHE, J. La soi-disant pulsion de mort: une pulsion sexuelle. *Adolescence*, 15, p. 205-224, 1997.

LAPLANCHE, J. *Le fourvoiement biologisant de la sexualité chez Freud*. Paris: Les Empêcheurs de Penser en Rond, 1999.

LAPLANCHE, J. Sublimation et/ou inspiration. In: *Entre séduction et inspiration: l'homme*. Paris: PUF, 1999.

LE BEUF, J. *Au-delà des névroses actuelles*. Communication à la Société Psychanalytique de Montréal, avril 1976.

LECLAIRE, S. *On tue un enfant*. Paris: Seuil, 1975.

LEGENDRE, P. *Jouir du pouvoir*. Traité sur la bureaucratie patriote. Paris: Minuit, 1976.

LEGENDRE, P. *La fabrique de l'homme occidental*. Paris: Arte/Mille et Une Nuits, 1996.

LE GOFF, J. *L'imaginaire médiéval*. Paris: Gallimard, 1985.

LE GOFF, J. *La bourse et la vie*. Économie et religion au Moyen Âge. Paris: Hachette, 1986.

MARGOLIN, S. G. La signification du terme de "psychogenèse" dans les symptômes organiques. *L'évolution psychiatrique*, 18, p. 371-386, 1953.

MARTY, P.; M'UZAN, M. de; DAVID, C. *L'investigation psychosomatique*. Paris: PUF, 1963.

MARTY, P.; M'UZAN, M. de. La pensée opératoire. *Rev. franç. psychanal.*, 27, p. 345-355, 1963. (Numéro spécial)

MARTY, P.; FAIN, M.; M'UZAN, M. de; DAVID, C. Le cas Dora et le point de vue psychosomatique. *Revue française de Psychanalyse*, 32, p. 679, 1968.

MARTY, P. La dépression essentielle. *Rev. Franç. Psychanal.*, 32, p. 594-599, 1968.

MARTY, P. *Mouvements individuels de vie et de mort*. Paris: Payot, 1976.

MARTY, P. *La mentalisation*. Paris: Les Empêcheurs de Penser en Rond, 1994.

MENDEL, G. *La psychanalyse revisitée*. Paris: La Découverte, 1988.

MEYNERT, T. Klinische Vorlesungen über Psychiatrie auf Wissenschaftlichen Grundlagen, für Studierende und Ärzte, Juristen und Psychologen (1890). Braumüller. Trad. fr. *in* LÉVY-FRIESACHER, C. *Meynert-Freud*: l'amentia. Paris: PUF, 1983.

MILLER, J.-A. Quelques réflexions sur le phénomène psychosomatique. *Analytica*, 48, p. 113-126, 1986.

MINKOWSKA, F. La constitution épileptoïde et le trouble générateur de l'épilepsie essentielle. *L'évolution psychiatrique*, 5, p. 69-79, 1932.

MISSRIEGLER, A. Résumé. *In*: KRAPMAN, B. On the psychogenesis of narcolepsy. Report of a case by psychoanalysis. *I. Nerv. Ment. Dis.*, 93, p. 141-162, 1941.

M'UZAN, G. de. Différentes modalités d'interprétation dans la cure de relaxation en psychosomatique. *In*: FAIN, M.; DEJOURS, C. *Corps érotique et corps malade*. Paris: Masson, 1984.

NEYRAUT-SUTTERMAN, T. *À propos de la psychanalyse d'un cas d'épilepsie*. Mémoire de candidature à la Société Psychanalytique de Paris, texte ronéo, Paris, 1977.

PANKOW, G. et al. *Vingt-cinq années de psychothérapie analytique des psychoses*. Paris: Aubier-Montaigne, 1984.

PARAT, C. *Réflexions et questions*. II$^e$ Journée d'Étude de l'Institut de Psychosomatique. Paris, 19 février 1983.

ROCHE, D.; BLONLAC, B.; VINCENT, J.-C. La narcolepsie. *Confrontations psychiatriques*, 15, p. 173-192, 1977.

ROFFWARG, H. P. et al. Dream imagery: relationship to rapid eye movements of sleep. *Arch. Gen. Psychiatry*, 7, p. 235-258, 1962.

STOLLER, R. J. *La perversion, forme érotique de la haine*. Paris: Payot, 2000.

STOLLER, R. J. *L'excitation sexuelle*. Dynamique de la vie érotique. Paris: Payot, 2000.

TASSIN, J.-P. Le rêve naît de l'éveil. *Journal des Psychologues*, 173, p. 54-61, 1999.

THURIN, J.-M. Psychosomatique. *Psychiatries*, p. 87-88, 1989. (Numéro spécial)

VALABREGA, J.-P. *Les théories psychosomatiques*. Paris: PUF, 1954.

VALABREGA, J.-P. Problèmes de théorie psychosomatique, *Encyclopédie médico-chirurgicale*, 37400 C10, 1966.

VALAS, P. Horizons de la psychosomatique. *Analytica*, 48, p. 87-112, 1986.

VOGEL, G. Studies in psychophysiology of dreams. *Arch. Gen. Psychiatry*, 3, p. 421-428, 1960.

# Coleção da

**SOCIEDADE
PSICANALÍTICA
DE PORTO ALEGRE**

FUNDADA EM 1963

Filiada à International Psychoanalytical Association

1. *Primeiro, o corpo: corpo biológico, corpo erótico e senso moral*, de Christophe Dejours

2. *Perder a cabeça: abjeção, conflito estético e crítica psicanalítica*, de Giuseppe Civitarese

**Presidente**
Dr. Zelig Libermann

**Diretora Administrativa**
Psic. Cátia Olivier Mello

**Diretora Científica**
Dra. Maria Cristina Garcia Vasconcellos

**Diretor Financeiro**
Dr. Carlos Augusto Ferrari Filho

**Diretora do Instituto**
Dra. Maria Lucrécia Scherer Zavaschi

**Diretora de Publicações**
Dra. Tula Bisol Brum

**Diretora de Divulgação e Ações junto à Comunidade**
Psic. Kátia Wagner Radke

**Diretor da Infância e Adolescência**
Dr. Rui de Mesquita Annes

## LIVRARIA DUBLINENSE

**A LOJA OFICIAL DA DUBLINENSE, NÃO EDITORA E TERCEIRO SELO**

LIVRARIA.DUBLINENSE.COM.BR

Este livro foi composto em fontes ARNHEM e CAMPTON e impresso na gráfica PALLOTTI, em papel LUX CREAM 90g, em MAIO de 2019.